Gargantua

RABELAIS

Gargantua

Traduction, présentation, notes et dossier par
FRANÇOISE JOUKOVSKY,
professeur de lettres

Cahier photos par
STÉPHANE GOUGELMANN

Flammarion

**L'humanisme et la Renaissance,
dans la collection « Étonnants Classiques »**

© Flammarion, Paris, 1995.
Édition revue, 2015.
ISBN : 978-2-0813-5775-4

SOMMAIRE

Gargantua

■ Portrait de Rabelais (1494-1553). École française, musée de Versailles.

PRÉSENTATION

Rabelais, un personnage extraordinaire

Fils d'un avocat de Chinon, né en Touraine à La Devinière, François Rabelais commence par être moine. D'abord au couvent des Franciscains à Fontenay-le-Comte, où on lui confisque ses livres de grec, puis dans un milieu plus cultivé, chez les bénédictins de Maillezais, toujours en Poitou. Là, il accompagne son évêque et protecteur Geoffroy d'Estissac dans ses déplacements, et il a la chance de côtoyer des humanistes [1] et des écrivains.

C'est en effet un homme de la Renaissance, époque où l'on redécouvre la culture antique, en grande partie grâce à l'imprimerie, qui rend possible la diffusion des œuvres grecques et latines ; à Paris, on imprime des livres dès 1470. Rabelais acquiert ainsi une immense culture, religieuse et profane, dans tous les domaines, philosophique, juridique, littéraire, et aussi géographique : c'est l'autre fait dominant de la Renaissance, la découverte du Nouveau Monde en 1492, suivie de nombreux voyages, dont celui de Jacques Cartier au Canada en 1534. On comprend que Rabelais soit comme ses géants un « abîme de science ».

---

1. *Humanistes* : érudits de la Renaissance qui étudiaient les œuvres grecques et latines et qui s'inspiraient de la pensée antique.

Sa curiosité est universelle. En 1530, il commence des études de médecine à la célèbre université de Montpellier. Il a quitté l'habit de moine : le voilà de nouveau dans le monde.

En 1532, il est nommé médecin à l'Hôtel-Dieu de Lyon. C'est comme médecin qu'en 1534 il suivra à Rome l'évêque de Paris, Jean Du Bellay, qui était chargé de mission auprès du pape. Ces premières années manifestent donc un goût du changement et de la liberté, ainsi qu'une ouverture aux domaines les plus divers. Un personnage doué et remuant...

Entre-temps, Rabelais est devenu écrivain. En 1532, il a publié *Pantagruel* où sont décrites les origines et la naissance de son héros, un géant qui doit son nom à un diable du théâtre médiéval, capable d'assoiffer les humains en leur jetant du sel. Rabelais raconte ensuite son éducation dans les universités françaises, en province et à Paris, où le géant rencontre son ami Panurge. Enfin le lecteur assiste aux différents combats qui opposent Pantagruel aux Dipsodes, coupables d'avoir envahi son royaume, l'Utopie.

Gargantua à l'école et à la guerre

Roman mi-populaire, mi-savant, *Pantagruel* a conquis un public varié. Rabelais reprend la plume et publie, sans doute dans les premiers mois de 1535, *Gargantua* où il raconte l'histoire du père de Pantagruel. Il décrit avec beaucoup de fantaisie la naissance extraordinaire du géant, sorti par l'oreille gauche de sa mère au bout de onze mois de grossesse. Viennent ensuite ses deux éducations successives, qui s'opposent point par point. La première sous la direction de maître Thubal Holoferne, qui applique une méthode retardataire, et qui habitue l'enfant à la paresse physique et intellectuelle. La seconde sous la ferme discipline de Ponocrates, qui apprend à Gargantua le goût de l'effort, par la pratique du sport et par un programme d'études très ambitieux. Une telle pédagogie est surtout valable pour un géant. Mais nous pouvons en retenir l'enthousiasme pour l'étude, l'alternance des exercices physiques et de la réflexion, l'ouverture sur le monde, car Ponocrates fait appel à l'observation et à l'expérience. Le but n'est d'ailleurs pas d'accumuler un savoir extraordinaire, ni même de développer au maximum les capacités intellectuelles de l'élève. La science doit être soumise à des règles morales et religieuses, et au contrôle de la conscience. D'où le rôle de l'éducation religieuse, et l'importance de la prière dans les journées du jeune géant. Cette prière est surtout action de grâces, car Gargantua et son maître s'en remettent avec pleine confiance à la bonté de Dieu.

L'éducation de Gargantua est interrompue par un événement brutal : la guerre éclate entre Grandgousier, le père de Gargantua, et son voisin, le roi Picrochole. La période où écrit Rabelais est marquée par d'incessants conflits entre l'empereur Charles Quint et le roi de France François Ier, et on a pensé que Picrochole a peut-être eu pour modèle le belliqueux empereur. Cet épisode est à la fois une critique du tyran, car Picrochole décide tout par lui-même, et une critique de la guerre offensive (engagée pour attaquer l'ennemi). Le prétexte qui déclenche les hostilités est futile : une querelle entre des bergers et des marchands de brioches. Mais cette guerre a une cause plus profonde, la volonté de conquête : Picrochole rêve en effet d'un empire universel. Grandgousier et Gargantua sont donc obligés de pratiquer une guerre défensive, pour protéger leurs sujets, et une guerre aussi « propre » que possible. Au lieu de massacrer les civils et de mettre les campagnes au pillage, ils se contentent d'affronter les armées de Picrochole. Ils pardonnent ensuite aux vaincus avec une totale générosité.

La guerre finie, il reste à récompenser un moine qui a contribué à la victoire, Frère Jean des Entommeures. Ce diable de moine, émancipé et bon vivant, est comme le double de Rabelais. Gargantua va lui donner une superbe abbaye. Thélème est le contraire des couvents de l'époque. Rabelais prend sa revanche sur ce qu'il a vécu à Fontenay-le-Comte. Ainsi le livre se referme sur ce rêve d'une vie où la culture et le goût du beau permettent de vivre en toute amitié. *Gargantua* reflète l'optimisme volontaire de Rabelais. Il sait que le mal existe, parce qu'il y aura toujours des Picrochole. Mais l'ordre un temps compromis par la guerre est rétabli à la fin du livre, grâce au pouvoir de l'imagination.

« Rire est le propre de l'homme »

Nous pénétrons d'autant plus facilement dans le monde de Rabelais qu'il nous y entraîne par le rire. Les personnages sont gais, des Bien-ivres à Frère Jean et à ses joyeux compagnons. Grandgousier est « bon raillard », c'est-à-dire grand rieur. Avec eux, nous nous moquons des fantoches ridicules, ce Thubal Holoferne qui fait réciter l'alphabet à l'envers, ce Janotus de Bragmardo qui déraille copieusement, ce Picrochole et ses capitaines, qui sont en plein délire. Plus il y a de fous, plus on s'amuse, et il y a beaucoup de fous dans *Gargantua*.

Mais le principal personnage, c'est Rabelais lui-même, qui va et qui vient, qui s'amuse à mettre ses héros dans des situations délicates ou comiques, et sa parole retentit, inlassable, rebondissante. C'est plus qu'un livre. C'est une voix, que le temps n'a pu éteindre.

Elle nous rappelle quelques vérités simples : supporter notre voisin, chercher à connaître et à comprendre le monde qui nous entoure, respecter certains principes, pour que le monde ne retourne pas au chaos. Une parole de bon sens, et un éclat de rire.

■ Gargantua dans son berceau. Illustration de Grandville.

CHRONOLOGIE

1494 1553
1494 1553

- Repères historiques et culturels
- Vie et œuvre de l'auteur

Repères historiques et culturels

1470	Début de la Renaissance. Installation de la première imprimerie à Paris.
1492	Christophe Colomb découvre l'Amérique.
1515	François Ier, roi de France.
1519	Charles Quint, empereur du Saint Empire romain germanique.
1530	François Ier fonde le Collège de France où on étudie les langues anciennes.
1534	Jacques Cartier découvre le Canada.
1547	Mort de François Ier. Henri II, roi de France.
1556	Charles Quint renonce au trône.
1559	Mort d'Henri II.

Vie et œuvre de l'auteur

1494	Rabelais naît à La Devinière en Touraine.
1510	Il commence sa préparation à la vie de moine (noviciat).
1520	Rabelais est moine dans un couvent du Poitou.
1528-1530	Il quitte le couvent. Il se rend à Paris, puis fait des études de médecine à Montpellier.
1532	Il est nommé médecin à Lyon. Publication de *Pantagruel*.
1534	Il accompagne l'évêque Jean Du Bellay à Rome.
1535	Publication de *Gargantua*.
1546	Publication du *Tiers Livre*, où Panurge songe à se marier.
1552	Publication du *Quart Livre*, récit des navigations de Pantagruel.
1553	Mort de Rabelais à Paris.

NOTE SUR L'ÉDITION

Ces textes ont été traduits d'après les dernières éditions publiées du vivant de Rabelais. Nous avons respecté le plus possible l'ordre et le rythme des phrases, la richesse du vocabulaire, mais aussi les redites. Les passages supprimés sont signalés.
Les nombreux noms de lieux n'ont été élucidés dans les notes que lorsqu'ils étaient indispensables à la compréhension du texte.

La Vie très horrifique du grand Gargantua

■ La naissance de Gargantua. Illustration de Gustave Doré. BNF.

L'ENFANCE

I
La généalogie[1] de Gargantua. Ses origines

Je vous dis que par don souverain des cieux nous a été conservée l'antique généalogie de Gargantua, plus complète que nulle autre, excepté celle du Messie[2], dont je ne parle pas, car il ne m'appartient pas de le faire : ces diables de
5 calomniateurs et de cafards[3] s'y opposent. Elle fut trouvée par Jean Audeau en un pré qu'il avait près de l'Arceau Galeau, au-dessous de l'Olive, près de Narsay. Comme il en faisait nettoyer les fossés, les piocheurs heurtèrent de leurs houes[4] un grand tombeau de bronze, excessivement long,
10 car jamais ils n'en trouvèrent le bout parce qu'il entrait trop

---

1. *Généalogie* : liste des ancêtres d'une personne.
2. *Messie* : le Christ.
3. *Cafards* : hypocrites. Rabelais pense aux théologiens, qui censurent les livres.
4. *Houes* : pioches à fer très large.

avant sous les écluses de la Vienne. En l'ouvrant à un certain endroit, marqué par-dessus d'un gobelet autour duquel était écrit en lettres étrusques[1] «ICI ON BOIT», ils trouvèrent neuf flacons dans l'ordre où l'on met les quilles en Gascogne.

15 Celui qui était au milieu masquait un gros, gras, grand, gris, joli, petit, moisi livret, qui sentait plus fort, mais pas mieux que les roses.

Dans ce livret fut trouvée ladite généalogie, écrite comme dans une lettre de la chancellerie[2], non pas sur du papier,
20 du parchemin[3] ou des tablettes de cire, mais sur de l'écorce d'ulmeau[4]. Toutefois elle était si usée par le temps qu'à peine pouvait-on reconnaître trois lettres à la suite.

Bien qu'étant indigne, je fus appelé à cette tâche, et à grand renfort de bésicles[5], pratiquant l'art de lire les lettres
25 non apparentes, comme l'enseigne Aristote, je la traduisis, comme vous pourrez le voir en pantagruélisant[6], c'est-à-dire en buvant à votre gré et en lisant les gestes horrifiques de Pantagruel.

---

1. *Étrusques* : d'Étrurie, une ancienne province de l'Italie.
2. *Chancellerie* : de l'administration.
3. *Parchemin* : peau fine, et préparée pour l'écriture. Les Anciens écrivaient sur des tablettes.
4. *Ulmeau* : orme.
5. *Bésicles* : lunettes.
6. *Pantagruélisant* : Rabelais a créé ce mot, dont il donne le sens.

III
Comment Gargantua fut onze mois
porté au ventre de sa mère

Grandgousier était bon raillard[1] en son temps, aimant à boire net autant que n'importe quel homme qui pour lors fût au monde, et mangeait volontiers salé[2]. À cette fin, il avait ordinairement bonne munition de jambons de Mayence et de Bayonne, force langues de bœuf fumées, abondance d'andouilles quand c'était la saison, et de bœuf salé à la moutarde, grand renfort de boutargues[3], provision de saucisses de Bigorre, de Longaulnay, de la Brenne et du Rouergue.

En son âge adulte, il épousa Gargamelle, fille du roi des Papillons[4], belle fille et de bonne trogne, et ils se frottaient joyeusement le lard, tellement qu'elle devint grosse d'un fils et le porta jusqu'au onzième mois.

Car les femmes peuvent porter leur enfant aussi longtemps, même davantage, surtout quand c'est un chef-d'œuvre, un personnage qui en son temps accomplira de grandes prouesses. Ainsi Homère dit que l'enfant que Neptune[5] fit à une nymphe naquit après un an révolu, c'est-à-dire au douzième mois. Comme le note Aulu-Gelle[6] au

---

1. Raillard : qui aime à rire.
2. Salé : pour se donner envie de boire.
3. Boutargues : sorte de caviar.
4. Papillons : sauvages légendaires.
5. Neptune : dans la mythologie romaine, dieu de l'océan.
6. Aulu-Gelle : auteur antique, comme tous les noms qu'il va citer ensuite pour s'amuser.

troisième livre de son ouvrage, cette durée convenait à la
20 majesté de Neptune, afin que pendant ce temps l'enfant fût
formé à la perfection. [...]

Messieurs les anciens Pantagruélistes ont confirmé ce
que je dis, et ont déclaré non seulement possible, mais
aussi légitime l'enfant né d'une femme le onzième mois
25 après la mort de son mari :

Hippocrate au livre *Des aliments*,

Pline au livre VII, chapitre 5,

Plaute dans *La Cassette*,

Marcus Varron dans la satire intitulée *Le Testament*, où
30 il allègue l'autorité d'Aristote à ce propos,

Censorinus au livre *Du jour de la naissance*,

Aristote au livre VII, chapitres 3 et 4 du traité *De la
nature des animaux*,

Aulu-Gelle au livre III, chapitre 16 [...] et mille autres fous.

IV
Comment Gargamelle étant enceinte de Gargantua mangea profusion de tripes

Les tripes furent copieuses, comme vous l'imaginez, et
elles étaient si friandes[1] que chacun s'en léchait les doigts.
Mais le diable, c'est qu'il n'était pas possible de les conserver
longuement, car elles auraient pourri. Ce qui semblait indé-
5 cent. D'où fut conclu qu'ils les bâfreraient sans rien perdre.
À cette fin, ils convièrent tous les villageois de Cinais[2], de

---

1. *Friandes* : délicieuses.
2. *Cinais* : la scène se situe en Touraine, dans le pays de Rabelais.

Seuilly, de La Roche-Clermault, de Vaugaudry, sans oublier ceux du Coudray-Montpensier, du Gué de Vède et autres voisins, tous bons buveurs, bons compagnons et fameux joueurs de quilles.

Le bonhomme Grandgousier y prenait plaisir bien grand et commandait que tout allât par écuelles. Il disait à sa femme d'en manger le moins possible vu qu'elle approchait de son terme, et que cette tripaille n'était pas une nourriture très recommandable. […] Malgré ces remontrances, elle en mangea seize cuves, deux tonneaux et six pots.

Après manger, tous allèrent pêle-mêle à la Saulaie, et là, sur l'herbe drue, ils dansèrent au son des joyeux flageolets[1] et des douces cornemuses, si gaiement que c'était passe-temps céleste de les voir ainsi rigoler.

V
Les propos des Bien-ivres

Puis ils décidèrent de faire le goûter au même endroit. Alors les flacons d'aller, les jambons de trotter, les gobelets de voler, les brocs de tinter !

« Tire[2] !

– Donne !

– Tourne !

– Ajoute de l'eau !

– Donne-m'en sans eau ! Ainsi, mon ami.

---

1. *Flageolets* : flûtes champêtres.
2. *Tire* : pour ce verbe et les suivants, sous-entendre un complément (« du vin », « le verre »…). Tirer du vin. Sous-entendu « du tonneau ».

« – Avale-moi ce verre galamment !

10 – Apporte-moi du rosé, que le verre en pleure !

– Trêve de soif[1] !

– Ah ! sale fièvre, ne t'en iras-tu pas ?

– Par ma foi, ma commère, je ne peux pas me mettre à boire.

15 – Vous êtes transie, m'amie ?

– Oui.

– Ventre saint Quenet ! parlons de boire. [...]

– Je bois pour la soif à venir. Je bois éternellement. C'est pour moi une éternité de beuverie et une beuverie d'éternité.

20 – Chantons, buvons, entonnons un cantique !

– Où est mon entonnoir ?

– Quoi, les autres boivent à ma place !

– Vous mouillez-vous[2] pour sécher, ou vous séchez-vous pour vous mouiller ?

25 – Je ne comprends rien à la théorie ; je me débrouille avec la pratique.

– Hâte-toi !

– Je mouille, j'humecte, je bois, et tout de peur de mourir.

– Buvez toujours, vous ne mourrez jamais.

30 – Si je ne bois, je suis à sec : me voilà mort. Mon âme s'enfuira vers quelque mare à grenouilles. En lieu sec jamais l'âme ne peut demeurer. »

---

1. *Trêve de soif* : mettons fin à la soif !
2. *Vous mouillez-vous* : sous-entendu « le gosier ».

VI
Comment Gargantua naquit
d'une façon bien étrange

Comme ils tenaient ces menus propos de beuverie, Gargamelle commença à se porter mal du bas. Alors Grandgousier se leva de l'herbe, et la réconforta gentiment, pensant que ce fût mal d'enfant[1], et lui disant que là, sous la Saulaye, elle allait bientôt faire deux petits pieds nouveaux : qu'il lui convenait donc de prendre courage pour l'arrivée de son poupon ; et bien que la douleur lui fût quelque peu fâcheuse, elle serait brève. La joie qui succéderait aussitôt lui ôterait tout ce tourment, en sorte qu'il ne lui en resterait même pas le souvenir.

« Courage de brebis[2], lui disait-il ; dépêchez-vous de sortir celui-ci, et faisons-en aussitôt un autre.

– Ha, dit-elle, vous en parlez à votre aise, vous autres les hommes ! Bien, par Dieu, je ferai tous mes efforts, puisque ainsi vous plaît. […]

– Courage, courage, dit-il, ne vous souciez pas du reste et laissez faire les quatre bœufs de devant[3] ! Je m'en vais boire encore une rasade. Si cependant il vous arrivait quelque mal, je serai tout près : appelez en mettant vos mains en porte-voix, je viendrai vers vous. »

---

1. *Mal d'enfant* : douleurs de l'accouchement.
2. *Brebis* : vous êtes peureuse comme une brebis !
3. *Laissez faire les quatre bœufs de devant* : laissez tirer l'attelage ! (laissez l'enfant sortir tout seul).

Peu de temps après, elle commença à soupirer, à se lamenter et à crier. [...] La matrice se relâcha, l'enfant en sortit d'un saut, et entra en la veine cave[1] ; puis montant à travers le diaphragme jusqu'au-dessus des épaules (où ladite
25 veine se partage en deux), il prit son chemin à gauche et sortit par l'oreille de ce côté.

Dès qu'il fut né, il ne cria pas comme les autres enfants : «Mies ! mies[2] !», mais il s'écriait à haute voix : «À boire ! à boire ! à boire !», comme s'il invitait tout le monde à
30 boire, si bien qu'il fut entendu de tout le pays de Busse et Bibarois[3].

Je me doute que vous ne croyez assurément pas à cette étrange naissance. Si vous ne le croyez pas, je ne m'en soucie, mais un homme de bien, un homme de bon sens,
35 croit toujours ce qu'on lui dit et qu'il trouve par écrit. Est-ce contre notre loi, notre foi, notre raison, contre la sainte Écriture[4] ? Quant à moi, je ne trouve rien écrit en la sainte Bible qui soit contre cela. Et si telle avait été la volonté de Dieu, diriez-vous qu'il n'aurait pu le faire ? Ha, de grâce, ne
40 vous emburelucoquez[5] jamais vos esprits avec ces vaines pensées, car je vous dis qu'à Dieu rien n'est impossible, et s'Il voulait, les femmes auraient dorénavant ainsi leurs enfants par l'oreille.

---

1. Veine cave : grosse veine qui aboutit à l'oreillette du cœur. Le diaphragme est la paroi entre le ventre et la poitrine.
2. Mies : Rabelais imite le cri du nouveau-né.
3. Busse et Bibarois : jeu sur *busse*, subjonctif imparfait du verbe boire, et sur le mot *biberon*, qui au XVIe siècle signifie «buveur».
4. La sainte Écriture : la Bible.
5. Emburelucoquez : encombrez (mot inventé par Rabelais).

Bacchus ne fut-il engendré par la cuisse de Jupiter[1] ?
45 Roquetaillade naquit-il pas du talon de sa mère ?
Croquemouche de la pantoufle de sa nourrice ?

VII
Comment son nom fut attribué à Gargantua, et comment il humait le piot[2]

Le bonhomme Grandgousier, buvant et rigolant avec les autres, entendit le cri horrible que son fils avait poussé en voyant la lumière de ce monde, quand il bramait « À boire ! à boire ! à boire ! » Il dit alors : « Que grand tu as »
5 (sous-entendez : le gosier). À ces mots, les assistants dirent que vraiment il devait avoir pour cette raison le nom de Gargantua, puisque telle avait été la première parole de son père à sa naissance : selon l'exemple des anciens Hébreux. À quoi fut consenti par Grandgousier,
10 et cela plut bien à sa mère. Et pour l'apaiser ils lui donnèrent à boire à tire-larigot, et il fut porté sur les fonts baptismaux, et baptisé, comme c'est la coutume des bons chrétiens.

Et lui furent attribuées dix-sept mille neuf cent treize
15 vaches de Pontille et de Bréhémont pour l'allaiter ordinairement. Car de trouver une nourrice suffisante, il n'en était pas question, dans tout le pays, vu la grande quantité de lait nécessaire pour l'alimenter ; bien que certains docteurs

---

1. *La cuisse de Jupiter* : la mère de Bacchus étant morte avant l'accouchement, Jupiter porta l'enfant dans sa cuisse jusqu'à maturité. L'histoire de Croquemouche et de Roquetaillade est inventée.
2. *Le piot* : le vin.

en philosophie aient affirmé que sa mère l'allaita, et qu'elle
20 pouvait tirer de ses mamelles quatorze cent deux tonneaux
et neuf pots de lait à chaque fois, ce qui n'est pas vraisem-
blable. Cette proposition a été déclarée mammallement[1]
scandaleuse, offensant les oreilles influençables, et sentant
de loin l'hérésie[2].

25   En cet état, il passa un an et dix mois, et ensuite, sur le
conseil des médecins, on commença à le porter, et lui fut
faite une belle charrette à bœufs, inventée par Jean Denyau.
On le promenait dedans, par-ci, par-là, joyeusement ; et il
faisait bon le voir, car il avait bonne trogne, et presque dix-
30 huit mentons. Il ne criait que bien peu, mais il se conchiait
à toute heure.

VIII
Comment on vêtit Gargantua

Comme il était en cet âge, son père ordonna qu'on lui fît
habillement à ses couleurs, qui étaient le blanc et le bleu. On
y besogna donc, et ces vêtements furent faits, taillés et cou-
sus selon la mode qui régnait alors. Dans les anciens docu-
5 ments qui sont en la chambre de Montsoreau, je trouve qu'il
fut vêtu de la façon suivante :
Pour ses bas, furent levées onze cent cinq aunes[3] et
un tiers de lainage blanc. Elles furent ajourées en forme de

---

1. Mammallement : *malement* signifie « vilainement ». Rabelais fait pro-
noncer ce mot par un bègue, en jouant sur *mamelle*.
2. Hérésie : théorie condamnée par l'Église.
3. Aune : environ un mètre. Les chausses sont des bas montants, comme
un collant.

colonnes, striées et crénelées par-derrière pour ne pas
échauffer les reins, et par les jours il sortait un damas[1]
bleu, bouffant comme il le fallait. Et notez qu'il avait de
très belles jambes, bien proportionnées au reste de sa
stature. [...]

Pour ses souliers, furent levées quatre cent six aunes de
velours bleu violine. Et ils furent joliment ajourés de lignes
parallèles réunies en cylindres uniformes.

Pour la semelle, furent employées onze cents peaux de
vache brune, taillées en queue de morue.

Pour son pardessus, furent levées dix-huit cents aunes de
velours bleu, d'une teinte vive, brodé tout autour de belles
volutes de vigne et au milieu de pots en fil d'argent, enche-
vêtrés avec des bagues d'or et force perles ; cela signifiait
qu'il serait un bon videur de pots en son temps.

Sa ceinture fut de trois cents aunes et demie de serge[2] de
soie, moitié blanche et moitié bleue (ou je me trompe beaucoup). [...]

Pour sa robe furent levées neuf mille six cents aunes
moins deux tiers de velours bleu, comme ci-dessus, tout
rebrodé d'or en diagonale. D'un certain point de vue, il en
sortait une couleur indicible, telle que vous en voyez au
cou des tourterelles, et qui réjouissait merveilleusement les
yeux des spectateurs.

Pour son bonnet furent levées trois cent deux aunes un
quart de velours blanc. Et sa forme fut large et ronde, et
aussi ample que sa tête, car son père disait que ces bonnets

1. *Damas* : étoffe de soie avec des motifs de fleurs.
2. *Serge* : tissu.

à la mauresque[1], faits comme une croûte de pâté, porteraient quelque jour malheur aux tondus qui les mettaient.

Pour son plumet[2], il portait une belle grande plume bleue, prise à un pélican de la sauvage Asie, et qui pendait bien mignonnement sur l'oreille droite.

---

1. ***Ces bonnets à la mauresque*** : les turbans, portés par les Turcs, qui se rasaient le crâne.
2. ***Plumet*** : plume de son chapeau.

L'ÉDUCATION

XI
De l'adolescence de Gargantua

Gargantua, de trois à cinq ans, fut élevé et instruit en toute discipline convenable, par le commandement de son père, et il passa ce temps comme les petits enfants du pays : c'est à savoir, à boire, manger et dormir ; à manger, dormir
5 et boire ; à dormir, boire et manger.

Toujours se vautrait dans la fange, se mâchurait le nez, se salissait le visage, éculait ses souliers, bâillait souvent aux mouches, et courait volontiers après les papillons, dont son père était empereur [1] ! Il pissait sur ses souliers, il chiait en sa
10 chemise, il se mouchait dans ses manches, il morvait dans sa soupe, et patouillait en tous lieux, et buvait en sa pantoufle, et se frottait ordinairement le ventre d'un panier. Il aiguisait

---

1. **Empereur** : nous avons déjà vu que sa mère est fille du roi des sauvages Papillons.

ses dents d'un sabot, lavait ses mains de potage, se peignait
d'un gobelet, s'asseyait entre deux sièges le cul à terre, se
15 couvrait d'un sac mouillé, buvait en mangeant sa soupe,
mangeait sa fouace[1] sans pain, mordait en riant, riait en
mordant, pétait de graisse, pissait contre le soleil, se cachait
en l'eau quand il pleuvait. [...]

Les petits chiens de son père mangeaient en son écuelle ;
20 lui de même mangeait avec eux. Il leur mordait les oreilles,
ils lui égratignaient le nez ; il leur soufflait au cul, ils lui
léchaient les badigoinces[2].

XII
Des chevaux factices de Gargantua

Lui-même se fit avec une grosse poutre à roulettes un
cheval pour la chasse, un autre pour tous les jours avec la
poutre d'un pressoir[3], et dans un grand chêne une mule
avec sa housse[4], pour s'exercer en salle[5]. Il avait encore
5 dix ou douze chevaux de relais et de poste[6]. Et tous, il les
mettait à coucher auprès de lui.

Un jour, le seigneur de Pain-en-sac vint visiter son père
en grand apparat : ce jour-là étaient également venus le duc

---

1. *Fouace* : sa brioche. ***Mangeait sa fouace sans pain*** : évidence, car
on ne mange jamais la fouace avec du pain.
2. *Badigoinces* : les babines.
3. *Pressoir* : machine à presser le raisin.
4. *Housse* : couverture qui se met sur la croupe de la bête.
5. *S'exercer en salle* : à des exercices d'équitation.
6. *Poste* : pour les longs trajets, on changeait de chevaux dans des relais
appelés *postes*.

de Francrepas et le comte de Mouillevent. Par ma foi, le
10 logis était un peu étroit pour tant de gens, en particulier les
écuries. Le maître d'hôtel et le fourrier[1] dudit seigneur de
Pain-en-sac s'adressèrent à Gargantua, qui était alors gar-
çonnet, pour savoir s'il n'y avait pas des écuries vides
ailleurs en la maison, en lui demandant en secret où étaient
15 les écuries des grands chevaux, pensant que volontiers les
enfants racontent tout.

Alors il les mena par le grand escalier du château, et ils
passèrent de la seconde salle en une grande galerie, par
laquelle ils pénétrèrent en une grosse tour. Comme ils mon-
20 taient un autre escalier, le fourrier dit au maître d'hôtel :

« Cet enfant nous abuse, car les écuries ne sont jamais
en haut de la maison.

– Vous raisonnez mal, dit le maître d'hôtel, car je sais
des endroits à Lyon, à la Baumette, à Chinon et ailleurs,
25 où les écuries sont au plus haut du logis. Peut-être y a-t-il
par-derrière une sortie à l'étage. Mais je vais le demander,
pour en être sûr. »

Alors il demanda à Gargantua :

« Mon petit mignon, où nous menez-vous ?
30 – À l'écurie de mes grands chevaux, dit-il. Nous y
sommes presque, montons seulement ces marches. »

Ensuite, les faisant passer par une autre grande salle, il
les mena en sa chambre, et il ouvrit la porte :

« Voici, dit-il, les écuries que vous demandez. »

---

1. *Fourrier* : officier qui s'occupe de loger les gens et les chevaux.

XIV

Comment Gargantua fut instruit en lettres latines par un sophiste[1]

On recommanda à Grandgousier un grand docteur sophiste nommé Maître Thubal Holoferne, qui apprit à Gargantua son alphabet, si bien que son élève le récitait par cœur à l'envers ; et cela lui prit cinq ans et trois 5 mois. [...] Pendant ce temps, il lui apprenait à écrire en lettres gothiques[2], l'enfant copiait tous ses livres, car l'art de l'imprimerie n'était pas encore en usage[3].

Et Gargantua portait ordinairement un gros écritoire pesant plus de sept mille quintaux[4], dont l'étui était aussi 10 gros et grand que les gros piliers de l'église Saint-Martin-d'Ainay. L'encrier, qui pendait à l'écritoire attaché par de grosses chaînes de fer, avait la contenance d'un tonneau.

Puis Maître Thubal lui lut *Les Modes de la signification*[5], avec les commentaires de Heurtebise, de Faquin, de 15 Tropditeux, de Galehaut, de Jean le Veau, de Billon, de Brelinguand et d'un tas d'autres. Gargantua y fut plus de

---

1. *Sophiste* : ici, sens péjoratif, maître qui n'apprend pas à l'élève à réfléchir pour trouver la vérité.
2. *Lettres gothiques* : les caractères du Moyen Âge, donc une écriture démodée (à la différence des caractères modernes, les *italiques*).
3. *Pas encore en usage* : en France, c'est à partir de 1470 que des livres sont imprimés à Paris.
4. *Quintaux* : un quintal fait cent kilogrammes.
5. *Les Modes de la signification* : titre d'un traité de grammaire. Les noms des commentateurs sont inventés par Rabelais.

dix-huit ans et onze mois. Et il le sut si bien qu'à l'examen il le restituait par cœur à l'envers.

XV
Comment Gargantua fut mis sous la tutelle d'autres pédagogues

Alors son père s'aperçut que vraiment il étudiait très bien et y passait tout son temps, mais qu'en rien il ne progressait, et qui pis est, qu'il devenait fou, niais, tout rêveur et rassoté[1].

5 Comme il se plaignait à Messire Philippe des Marais, vice-roi de Papeligosse[2], il comprit que mieux vaudrait ne rien apprendre que d'apprendre dans de tels livres sous la conduite de tels précepteurs. Car leur savoir n'était que bêtise, et leur sagesse une enveloppe vide, abâtardissant[3]
10 les bons et nobles esprits, et corrompant toute fleur de jeunesse.

«Pour preuve, dit le vice-roi, prenez un de ces jeunes gens du temps présent, qui ait seulement étudié deux ans. S'il n'a pas meilleur jugement, meilleures paroles, meilleur
15 propos que votre fils, et meilleure contenance et élégance dans le monde, je veux bien que vous me traitiez à jamais de charcutier de la Brenne[4].»

---

1. **Rassoté** : stupide.
2. **Papeligosse** : pays légendaire. **Vice-roi** : gouverneur d'un État qui dépend d'un autre.
3. **Abâtardissant** : avilissant.
4. **Brenne** : autrement dit, comme quelqu'un qui n'y connaît rien.

Ce qui plut bien à Grandgousier, et il commanda qu'ainsi fût fait.

20 Le soir, au souper, ledit des Marais introduisit un de ses jeunes pages, natif de Villegongis, nommé Eudémon[1], si bien coiffé, si bien tiré à quatre épingles, si bien épousseté, si bien élevé quant au maintien qu'il ressemblait beaucoup plus à un petit angelot qu'à un homme. Puis il dit à 25 Grandgousier :

« Voyez-vous ce jeune enfant ? Il n'a pas encore douze ans. Voyons, si bon vous semble, quelle différence il y a entre le savoir de vos rêveurs de théologiens du temps jadis et les jeunes gens de maintenant. »

30 L'essai plut à Grandgousier, et il commanda que le page fît son introduction[2]. Alors Eudémon, demandant la permission au vice-roi son maître, resta debout, le bonnet au poing, la face ouverte, la bouche vermeille, les yeux assurés, et le regard posé sur Gargantua avec la modestie qui sied[3] à 35 un jeune homme. Il commença à le louer et à magnifier, premièrement sa vertu et ses bonnes mœurs, secondement son savoir, troisièmement sa noblesse, quatrièmement sa beauté corporelle, et cinquièmement il l'exhortait douce-ment à révérer en toute occasion ce père qui s'efforçait de 40 bien le faire instruire. Enfin il le pria de bien vouloir le garder comme le moindre de ses serviteurs, car pour le pré-sent il ne demandait nul autre don des cieux que la grâce de lui plaire par quelque service agréable. Le tout fut exposé avec des gestes si bien appropriés, une diction si claire, une

---

1. *Eudémon* : en grec, « bien doué ».
2. *Introduction* : présentation.
3. *Sied* : convient.

voix si éloquente, un style orné[1], et en si bon latin qu'Eudémon ressemblait plus à un Gracchus[2], à un Cicéron ou à un
Paul-Émile du temps passé qu'à un jouvenceau de ce siècle.

Mais toute la contenance[3] de Gargantua fut qu'il se mit
à pleurer comme une vache, et qu'il se cachait le visage de
son bonnet. Il ne fut pas possible d'en tirer une parole, pas
plus qu'un pet d'un âne mort.

Son père en fut tellement courroucé qu'il voulut tuer
Maître Jobelin[4], mais ledit des Marais l'en empêcha en lui
faisant une belle remontrance. Grandgousier commanda
ensuite qu'on lui payât ses gages[5], et qu'on le fît boire en
vrai sophiste : ceci fait, qu'il aille à tous les diables !

Maître Jobelin parti de la maison, Grandgousier déli-
béra avec le vice-roi pour savoir quel précepteur on pourrait donner à Gargantua, et il fut décidé entre eux que cet
office serait confié à Ponocrates[6], le pédagogue[7] d'Eudémon, et que tous ensemble ils iraient à Paris, pour savoir
quelles études faisaient les jouvenceaux[8] de France à cette
époque-là.

---

1. *Orné* : orné de comparaisons.
2. *Gracchus* : nom de personnage romain célèbre dans l'Antiquité, comme les deux suivants.
3. *Contenance* : manière de se tenir.
4. *Maître Jobelin* : le précepteur de Gargantua, à la mort de Thubal Holopherne.
5. *Ses gages* : son salaire.
6. *Ponocrates* : en grec, « le travailleur ».
7. *Pédagogue* : maître.
8. *Jouvenceaux* : jeunes gens.

XVI

Comment Gargantua fut envoyé à Paris, et de l'énorme jument qu'il montait, et comment elle anéantit les mouches à bœufs de la Beauce

À la même époque, Fayolles[1], quatrième roi de Numidie, envoya du pays d'Afrique une jument à Grandgousier, la plus énorme qui fut jamais vue, et la plus monstrueuse (vous savez assez que l'Afrique offre toujours des nouveau-
5 tés bizarres), car elle était grande comme six éléphants, et elle avait les pieds fendus en doigts comme le cheval de Jules César[2], les oreilles pendantes comme les chèvres de Languedoc, et une petite corne au cul. De plus, elle avait une robe au poil brun, avec des pommelures[3] grises. Mais
10 surtout elle avait une queue horrible, car elle était (un peu plus, un peu moins) grosse comme la Pile Saint-Mars[4] près de Langeay, et de forme carrée, avec des poils barbus comme les épis de blé, ni plus ni moins.

Si vous vous en émerveillez, émerveillez-vous davantage
15 de la queue des béliers de Scythie, qui pesait plus de trente livres, et des moutons de Syrie, auxquels Jean Thenaud[5], s'il

---

1. *Fayolles* : personnage inventé.
2. *Les pieds fendus en doigts comme le cheval de Jules César* : proverbe antique.
3. *Pommelures* : taches.
4. *Pile Saint-Mars* : ruine d'un édifice antique.
5. *Jean Thenaud* : auteur de la Renaissance qui a rédigé des récits de voyage.

dit vrai, prétend qu'il faut atteler une charrette au cul pour la porter, tant elle est longue et pesante.

La bête fut amenée par mer, dans trois grands navires et un petit vaisseau de combat, jusqu'au port des Sables-d'Olonne en Talmondais.

Lorsque Grandgousier la vit :

« Voici, dit-il, exactement ce qu'il faut pour porter mon fils à Paris. Or çà, de par Dieu, tout ira bien. Il sera grand clerc [1] au temps à venir. S'il n'y avait pas messieurs les bêtes, nous vivrions comme clercs [2]. »

Au lendemain, après boire (comme vous l'imaginez), Gargantua se mit en chemin avec son précepteur Ponocrates, ses gens, et Eudémon, le jeune page. Et parce que le temps était serein et clément, son père lui fit faire des bottes de cuir fauve, que Babin nomme brodequins [3].

Ainsi joyeusement passèrent leur grand chemin, et toujours faisant grande chère, jusqu'au-delà d'Orléans. À cet endroit, il y avait une ample forêt, longue de trente-cinq lieues [4] et large de dix-sept, ou à peu près. Elle était horriblement riche et fertile en mouches à bœufs et en frelons, si bien que c'était une vraie briganderie pour les pauvres juments, ânes et chevaux. Mais la jument de Gargantua vengea glorieusement tous les outrages commis sur les bêtes de son espèce, par un tour auquel ces insectes ne s'attendaient pas. Car dès qu'ils furent entrés dans la forêt, et que les frelons lui eurent livré l'assaut, elle dégaina sa queue et en

---

1. *Clerc* : érudit, savant.

2. *Nous vivrions comme clercs* : Rabelais inverse le proverbe « s'il n'y avait des clercs, nous vivrions comme des bêtes ».

3. *Brodequins* : bottine fine, qui ne convient pas au mauvais temps.

4. *Trente-cinq lieues* : une lieue fait en moyenne quatre kilomètres.

s'escarmouchant, les émoucha[1] si bien qu'elle en abattit tout le bois. À tort, à travers, de çà, de là, par ci, par là, de
45 long, de large, dessus, dessous, elle abattait le bois comme un faucheur coupe l'herbe, en sorte que depuis il n'y eut plus ni bois ni frelons, et que tout le pays fut réduit en plate campagne.

En le voyant, Gargantua prit bien grand plaisir, et sans
50 se vanter davantage, il dit à ses gens : « je trouve beau ce ». Depuis, ce pays est appelé la Beauce[2].

XVII

Comment Gargantua paya sa bienvenue aux Parisiens et comment il prit les grosses cloches de l'église Notre-Dame

Quelques jours après qu'ils se furent reposés, Gargantua visita la ville et il fut vu de tout le monde en grande admiration, car le peuple de Paris est tant sot, tant badaud et stupide de nature, qu'un bateleur[3], un montreur de reliques,
5 un mulet avec ses clochettes, un vielleux[4] au milieu d'un carrefour, assembleront plus de gens que ne ferait un bon prêcheur de l'Évangile.

Et ils l'importunèrent tant à le poursuivre qu'il fut contraint de se réfugier sur les tours de l'église Notre-
10 Dame. En cet endroit, voyant tant de gens autour de lui, il dit d'une voix claire :

---

1. *Émoucha* : fit tomber ces mouches.
2. *Beauce* : province du centre de la France.
3. *Bateleur* : saltimbanque.
4. *Vielleux* : qui joue de la vielle, ancien instrument à cordes.

« Je crois que ces maroufles [1] veulent que je leur paye ici ma bienvenue et mon cadeau d'arrivée. C'est raison. Je vais leur payer à boire, mais ce ne sera que par ris [2]. »

15 Alors, en souriant, il détacha sa belle braguette, et il les compissa si aigrement qu'il en noya deux cent soixante mille quatre cent dix-huit, sans les femmes et les petits enfants. [...]

Ceci fait, Gargantua considéra les grosses cloches qui
20 étaient dans lesdites tours, et il les fit sonner bien harmonieusement. Ce faisant, il lui vint à l'esprit qu'elles serviraient bien de clochettes au cou de sa jument, qu'il voulait renvoyer à son père toute chargée de fromages de Brie et de harengs frais. De fait, il les emporta au logis. [...]

25 Toute la ville entra en sédition, car vous savez que les Parisiens sont si prompts à se soulever que les nations étrangères s'ébahissent de la patience des rois de France, qui ne les répriment que par bonne justice, alors que des inconvénients en naissent de jour en jour. Plût à Dieu que
30 je connaisse l'officine [3] où sont élaborés ces complots et ces conspirations, pour les révéler aux confréries de ma paroisse !

Sachez que l'endroit où le peuple se rassembla, tout excité et tout énervé, fut la tour de Nesle. Là fut exposée
35 l'affaire, et démontré l'inconvénient résultant du transport de ces cloches. Après avoir bien ergoté [4] pour et contre, fut conclu en Baralipton [5] que l'on enverrait le plus vieux et le

---

1. *Maroufles* : marauds, coquins.
2. *Par ris* : jeu sur « par ris » (pour rire) et « Paris ».
3. *Officine* : lieu où le pharmacien prépare les médicaments.
4. *Ergoté* : discuté.
5. *Baralipton* : nom d'un type de raisonnement.

plus capable de la Faculté auprès de Gargantua, pour lui démontrer quel horrible inconvénient provenait de la perte
40 de ces cloches.

XIX

La harangue de Maître Janotus de Bragmardo, faite à Gargantua pour reprendre les cloches

« Ehen, hen, hen ! Mna dies[1], Monsieur, mna dies et vobis, Messieurs. Ce ne serait que bon que vous nous rendissiez nos cloches, car elles nous font bien faute. Hen, hen, hasch[2] ! Nous en avions bien autrefois refusé de bon argent
5 de ceux de Londres en Cahors, et aussi de ceux de Bordeaux en Brie[3], qui voulaient les acheter pour la substantifique qualité de la complexion élémentaire qui est intronificquée en la terréstérité de leur nature quidditative[4], pour extranéizer[5] les brumes et les brouillards sur nos vignes, en vérité
10 pas les nôtres, mais celles qui sont près d'ici : car si nous perdons le piot[6], nous perdons tout, et sens et loi.

« Si vous nous les rendez sur ma requête, je gagnerai six pans de saucisses et une bonne paire de chausses[7], qui me

---

1. *Mna dies* : en latin, « bonjour ».
2. *Hasch* : il se racle la gorge.
3. *Brie* : géographie fantaisiste.
4. *Quidditative* : maître Janotus utilise n'importe comment des termes philosophiques mélangés par Rabelais avec des mots inventés.
5. *Extranéizer* : éloigner.
6. *Piot* : ils risquent de perdre le piot, c'est-à-dire le vin, parce que les sonneries de cloches passaient pour dissiper les brumes nuisibles à la vigne.
7. *Chausses* : bas montants.

feront grand bien à mes jambes, à moins que ces Parisiens
15 ne tiennent pas leur promesse. Oh, par Dieu, Seigneur,
une paire de chausses est une bonne chose, et le sage ne la
méprisera pas. Ha, ha, il n'a pas paire de chausses qui
veut, je le sais bien en ce qui me concerne ! Écoutez, Seigneur, il y a dix-huit jours que je suis à concocter cette belle
20 harangue. [...]

    « Ça, je vous prouve que vous devez me les donner.
Alors j'argumente ainsi :

    « "Omnis clocha clochabilis, in clocherio clochando, clo-
chans clochativo clochare facit clochabiliter clochantes.
25 Parisius habet clochas. Ergo gluc[1]."

    « Ha, ha, ha, c'est parlé cela ! Par mon âme, j'ai vu le
temps où j'étais redoutable en matière d'argumentation,
mais présentement je ne fais plus que rêvasser, et il ne me
faut plus dorénavant que bon vin, bon lit, le dos au feu, le
30 ventre à table et écuelle bien profonde.

    « Ah, Seigneur, je vous en prie, au nom du Père, du Fils
et du Saint-Esprit, amen, rendez-nous nos cloches, et Dieu
vous garde de mal, et Notre-Dame de Santé, qui vit et règne
par tous les siècles des siècles, amen. Hen, hasch, ehasch,
35 grenhenhasch ! »

---

1. *Omnis clocha clochabilis, in clocherio clochando, clochans clochativo clochare facit clochabiliter clochantes. Parisius habet clochas. Ergo gluc* : « Toute cloche clochable clochant dans un clocher, en clochant fait clocher par le clochatif ceux qui clochent clochablement. Le Parisien a des cloches. Par conséquent, j'ai conclu. »

XXI
L'étude de Gargantua selon la discipline de ses précepteurs sophistes[1]

Les premiers jours ainsi passés, et les cloches remises à leur place, les citoyens de Paris, par reconnaissance pour la courtoisie du géant, s'offrirent à entretenir et nourrir sa jument tant qu'il lui plairait (ce que Gargantua appré-
5 cia fort), et ils envoyèrent la bête vivre en la forêt de Fontainebleau. Je crois qu'elle n'y est plus maintenant.

Ceci fait, Gargantua voulut de toutes ses forces étudier selon la méthode de Ponocrates. Mais celui-ci, au commencement, lui ordonna de faire comme à l'accoutumée, afin de
10 comprendre par quel moyen, en une période si longue, ses anciens précepteurs l'avaient rendu si sot, niais et ignorant.

Il employait donc son temps de telle façon qu'ordinairement il s'éveillait entre huit et neuf heures, qu'il fût jour ou non. Ainsi l'avaient ordonné ses anciens régents[2], alléguant
15 ce que dit la Bible : « il est vain de vous lever avant le jour ».

Puis il gambadait, sautait, paillardait dans le lit quelque temps, pour mieux réjouir son esprit ; et il s'habillait selon la saison, mais volontiers il portait une grande et longue robe de gros lainage fourré de renard. Après, il se peignait
20 du peigne d'Almain[3], c'est-à-dire des quatre doigts et du

---

1. *Sophistes* : voir note 1, p. 32.
2. *Régents* : maîtres.
3. *Almain* : jeu de mots sur *Almain*, docteur du Moyen Âge, et « de la main ».

pouce, car ses précepteurs disaient que se peigner autrement, se laver et se nettoyer était perdre du temps en ce monde.

Puis il fientait, pissait, se raclait la gorge, rotait, pétait,
25 bâillait, crachait, toussait, sanglotait, éternuait, et morvait comme un archidiacre[1], et déjeunait pour lutter contre l'humidité et le mauvais air : belles tripes frites, belles grillades, beaux jambons, belles côtelettes de mouton et force tranches de pain dans du bouillon.

30 Ponocrates lui remontra qu'il ne devait pas si soudain se bourrer au saut du lit, sans avoir premièrement fait quelque exercice. Gargantua lui répondit :

« Quoi ! n'ai-je pas fait un suffisant exercice ? Je me suis vautré six ou sept tours dans le lit avant de me lever. N'est-
35 ce pas assez ? Le pape Alexandre faisait ainsi, sur le conseil de son médecin juif, et il vécut jusqu'à la mort en dépit des envieux. Mes premiers maîtres m'y ont accoutumé, en disant que le déjeuner donnait bonne mémoire. C'est pourquoi ils y buvaient les premiers. Je m'en trouve fort bien, et
40 n'en mange que mieux à midi. Et me disait Maître Thubal (qui fut le premier de sa classe de licence à Paris) que ce n'est pas tout que de courir bien vite, mais qu'il faut partir de bonne heure. Aussi la pleine santé de notre humanité, ce n'est pas de boire des tas, des tas, des tas, comme des
45 canes, mais c'est bien de boire matin. D'où la formule :

"Lever matin n'est point bonheur ;
Boire matin est le meilleur." »

Après avoir déjeuné bien convenablement, il allait à l'église, et on lui portait dans un grand panier un gros

---

1. *Archidiacres* : supérieurs des curés (ils passaient pour être sales).

50 bréviaire[1] emmitouflé, pesant, tant en graisse qu'en fermoirs et en parchemin[2], onze quintaux et six livres, à peu
de chose près. Là, il entendait vingt-six ou trente messes. À ce
moment-là venait son diseur d'heures[3], encapuchonné
comme une huppe[4], et qui avait très bien parfumé son
55 haleine avec le sirop de la vigne. En sa compagnie,
Gargantua marmonnait toutes ces kyrielles, et il les épluchait
si soigneusement qu'il n'en tombait pas un grain en terre.

Au sortir de l'église, on lui amenait sur une charrette à
bœufs un tas de chapelets fabriqués à Saint-Claude, et dont
60 chaque grain était aussi gros que la coiffe d'un bonnet ; et en
se promenant par les cloîtres, galeries ou jardin, il en disait
plus que seize ermites[5].

Puis il étudiait pendant quelque méchante demi-heure,
les yeux posés sur son livre ; mais, comme dit le poète
65 comique, son âme était en la cuisine.

Pissant donc un plein urinoir, il s'asseyait à table, et il
commençait son repas par quelques douzaines de jambons,
de langues de bœuf fumées, de boutargues[6], d'andouilles et
d'autres avant-coureurs de vin[7].

70 Pendant ce temps, quatre de ses gens lui jetaient en la
bouche, l'un après l'autre, continuellement, de la moutarde

---

1. Bréviaire : livre contenant les prières que les prêtres doivent lire
chaque jour.
2. La **graisse** est le corps même du livre ; le **parchemin** est la peau dont il
est relié ; les **fermoirs** métalliques tiennent les pages serrées.
3. Heures : prières au cours de la journée.
4. Huppe : le capuchon ressemble à la touffe de poils sur la tête de cet
oiseau.
5. Ermite : saint homme qui vit dans la solitude.
6. Boutargues : voir note 3, p. 19.
7. Avant-coureurs de vin : apéritifs.

à pleines pelletées. Puis il buvait un horrifique trait[1] de vin blanc pour se soulager les reins. Après, il mangeait selon la saison des plats correspondant à son appétit, et il s'arrêtait
75 de manger quand le ventre lui tirait.

Pour boire, il n'avait ni fin ni règles, car il disait que la limite et la borne en ce domaine, c'est quand le liège des pantoufles gonfle en hauteur d'un demi-pied.

XXIII

Comment Gargantua fut éduqué par Ponocrates en telle discipline qu'il ne perdait heure du jour

Ponocrates le soumit à un tel rythme d'étude qu'il ne perdait heure de la journée, mais consacrait tout son temps aux lettres et à l'honnête savoir.

Gargantua se réveillait donc vers quatre heures du matin.
5 Pendant qu'on le frictionnait, il lui était lu quelque page de la divine Écriture[2] à voix haute et claire, avec prononciation correspondant à la matière, et cet office revenait à un jeune page, natif de Basché, nommé Anagnostes. Selon le propos et le sujet de cette lecture, souvent il se mettait à révérer,
10 adorer, prier et supplier le bon Dieu, dont cette lecture montrait la majesté et les jugements merveilleux.

Puis il allait aux lieux secrets éliminer le résidu des digestions naturelles. Là, son précepteur lui répétait ce qui avait été lu, en lui expliquant les points les plus obscurs et les plus
15 difficiles.

---

1. *Trait* : rasade.
2. *La divine Écriture* : la Bible.

En revenant, ils considéraient l'état du ciel : s'il était tel qu'ils l'avaient noté le soir précédent, et en quels signes du zodiaque [1] entraient le soleil et la lune pour cette journée.

20 Cela fait, il était habillé, peigné, coiffé, accoutré et parfumé, et pendant ce temps on lui répétait les leçons de la veille. Lui-même les disait par cœur, et y appliquait des cas pratiques et concernant l'existence des hommes. Ils en parlaient quelquefois pendant deux ou trois heures ; mais, ordinairement, ils s'arrêtaient lorsqu'il était complètement 25 habillé.

Ensuite, pendant trois bonnes heures, on lui faisait la lecture.

Ce fait, ils sortaient, en discutant toujours de la lecture, et ils se rendaient au Grand Braque [2], ou dans les prés. Ils 30 jouaient à la balle, à la paume, à la balle à trois, exerçant galamment leurs corps comme ils avaient auparavant exercé leurs esprits.

Tout leur jeu n'était qu'en liberté, car ils laissaient la partie quand il leur plaisait, et ils cessaient ordinairement 35 lorsqu'ils suaient par tout le corps ou lorsqu'ils étaient fatigués. Alors ils se faisaient très bien essuyer et frotter, ils changeaient de chemise, et en se promenant doucement, ils allaient voir si le dîner était prêt. En attendant là, ils récitaient à voix claire et éloquente quelques formules retenues 40 de la leçon.

Cependant, Monsieur l'Appétit venait, et au bon moment ils s'asseyaient à table.

---

1. *Zodiaque* : bande du ciel (pourvue de douze constellations) que le soleil semble parcourir.
2. *Grand Braque* : jeu de paume (ancêtre du tennis) parisien.

Au commencement du repas était lue quelque histoire plaisante des anciennes prouesses, jusqu'à ce que Gargantua
45 eût bu son vin.

Alors, si bon semblait, on continuait la lecture, ou bien ils commençaient à deviser joyeusement ensemble, parlant pendant les premiers mois de la vertu, propriété, efficacité et nature de tout ce qui leur était servi à table : du pain, du
50 vin, de l'eau, du sel, des viandes, poissons, fruits, herbes, racines, et de leur préparation. [...]

Après, ils parlaient des leçons lues le matin. Gargantua parachevait leur menu par quelque gelée de coing ; il se curait ensuite les dents avec une tige de bois, se lavait les
55 mains et les yeux de belle eau fraîche. Et ils rendaient grâce à Dieu dans de beaux cantiques à la louange de la générosité et de la bonté divines. Ce fait, on apportait des cartes, non pour jouer, mais pour apprendre mille petites gentillesses et inventions nouvelles, qui toutes relevaient de
60 l'arithmétique.

Grâce à ce moyen, il prit goût à cette science des nombres, et tous les jours, après le dîner et le souper, il y passait son temps aussi plaisamment qu'il le faisait aux dés ou aux cartes. Bientôt, il en sut la théorie et la pratique, si bien que
65 l'Anglais Tunstal [1], qui avait beaucoup écrit sur le sujet, confessa que vraiment, en comparaison de Gargantua, il n'y comprenait que le haut-allemand [2].

Et non seulement il prit goût à cette science, mais aussi aux autres sciences mathématiques, comme la géométrie,
70 l'astronomie et la musique. Car en attendant la digestion

---

1. *Tunstal* : mathématicien anglais de la Renaissance.
2. *Haut-allemand* : l'ancien allemand, difficile à comprendre.

et l'assimilation de son repas, ils faisaient mille joyeuses figures de papier et des schémas géométriques, et de même ils étudiaient les lois de l'astronomie.

Après, ils se divertissaient à chanter à quatre ou cinq parties [1], ou sur un thème en improvisant.

Quant aux instruments de musique, il apprit à jouer du luth, de l'épinette [2], de la harpe, de la flûte traversière et de la flûte à neuf trous, de la viole [3] et du trombone.

Cette heure ainsi employée, la digestion achevée, il se purgeait des excréments naturels, puis se remettait à sa principale étude pendant trois heures ou davantage, tant pour répéter la lecture du matin que pour continuer à lire le volume commencé, et aussi pour écrire, bien dessiner et former les lettres anciennes et les lettres romaines [4].

Ce fait, ils sortaient de leur hôtel, et avec eux un jeune gentilhomme de Touraine, l'écuyer [5] Gymnaste, qui lui montrait l'art de chevalerie.

Changeant donc de vêtements, il montait sur un coursier, sur un roussin, sur un genet, sur un cheval barbe, sur un cheval léger, et lui faisait cent tours sur la place, le faisait voltiger en l'air, franchir le fossé, sauter la barrière, tourner court dans un cercle, aussi bien à droite qu'à gauche. [...]

On lui apprenait en particulier à sauter rapidement d'un cheval sur l'autre sans mettre pied à terre – on nommait ces

---

1. *Quatre ou cinq parties* : à plusieurs voix.
2. *Épinette* : sorte de clavecin.
3. *Viole* : instrument ancien dont la forme rappelle le violon.
4. *Lettres romaines* : les lettres *gothiques*, du Moyen Âge, et les lettres *italiques*, modernes.
5. *Écuyer* : professeur d'équitation et de sport. La liste des différentes sortes de chevaux correspond à la mode de l'équitation au XVIe siècle.

montures chevaux de voltige – et de chaque côté, la lance
au poing, et à monter sans étriers, à guider le cheval à son
plaisir et sans bride, car de telles choses servent à la discipline militaire.

Un autre jour, il s'exerçait à la hache, qu'il faisait si
bien glisser, qu'il poussait si roidement de la pointe, qu'il
abaissait avec tant de souplesse, qu'il serait passé chevalier
d'armes en campagne et en toutes épreuves.

Puis il maniait la pique, brandissait l'épée à deux mains,
l'épée courte, la rapière[1], la dague et le poignard, avec ou
sans armure, avec un bouclier, une cape[2] pour se protéger
ou un petit bouclier rond.

Il courait le cerf, le chevreuil, l'ours, le daim, le sanglier,
le lièvre, la perdrix, le faisan, l'échassier. Il jouait au ballon
et le faisait bondir en l'air, autant du pied que du poing. Il
luttait, courait, sautait, non à trois pas un saut, ni à cloche-
pied, ni au saut d'Allemand, car selon Gymnaste de tels
sauts sont inutiles et ne servent pas à la guerre, mais d'un
saut il passait un fossé, volait par-dessus une haie, montait
six pas le long d'une muraille et rampait de cette façon jusqu'à une fenêtre située à hauteur de lance.

Il nageait en eau profonde, à l'endroit, à l'envers, de
côté, de tout le corps, des pieds ; une main en l'air, en tenant
un livre, il passait la Seine sans le mouiller ; ou en tirant son
manteau par les dents, comme le faisait Jules César. Puis
d'une main il montait en bateau, d'un grand élan il se jetait
de nouveau dans l'eau, la tête première, sondait le fond,
explorait les creux des rochers, plongeait dans les abîmes et

---

1. *Rapière* : épée à longue lame. La dague est un poignard.
2. *Cape* : la cape est enroulée autour du bras.

dans les gouffres. Puis il tournait ce bateau, le gouvernait, le
menait rapidement ou lentement, au fil de l'eau ou contre le
125 courant, le retenait en plein milieu d'une écluse, d'une main
le guidait, de l'autre s'escrimait avec un grand aviron, tendait la voile, montait au mât par les cordages, courait sur les
vergues[1], réglait la boussole, tendait les cordes contre le
vent, tenait le gouvernail bien ferme.

130   Sortant de l'eau, il grimpait la montagne tout raide et il
la dévalait aussi franchement ; il montait aux arbres comme
un chat, sautait de l'un à l'autre comme un écureuil, abattait
les gros rameaux comme un vrai Milon de Crotone[2]. Avec
deux poignards acérés et deux poinçons à toute épreuve, il
135 montait en haut d'une maison comme un rat, et descendait
du haut en bas, les membres disposés de telle façon qu'il ne
se faisait pas mal dans sa chute. [...]

        Et pour se fortifier les muscles, on lui avait fait deux gros
saumons[3] de plomb, qui pesaient chacun huit mille sept
140 cents quintaux, et qu'il nommait haltères. Il les prenait par
terre, en chaque main, il les levait en l'air au-dessus de sa
tête, et il les tenait ainsi, sans remuer, trois quarts d'heure
et davantage, ce qui prouvait une force inimitable.

        Il jouait aux barres avec les plus forts, et quand arrivait
145 le moment, il se tenait si raide sur ses jambes qu'il promet-
tait de se remettre pieds et poings liés aux plus audacieux,
si jamais ils arrivaient à le faire bouger, comme faisait jadis
Milon. Pour imiter ce dernier, il tenait une grenade dans sa
main, et la donnait à qui pourrait la lui ôter.

1. **Vergues** : barres de bois perpendiculaires au mât.
2. **Milon de Crotone** : athlète antique.
3. **Saumons** : des poids en forme de poissons.

150   Le temps ainsi employé, après qu'on l'eut frotté, net-
toyé et changé de vêtements, Gargantua revenait tout doucement, et en passant par quelques prés ou autres lieux
herbeux, ils observaient les arbres et les plantes, les comparant avec les livres des anciens qui en ont écrit. […] Ils en
155 emportaient de pleines mains au logis. C'est un jeune page
nommé Rhizotome[1] qui en avait la charge, ainsi que des
houes, pioches, serfouettes, bêches, sarcloirs et autres instruments nécessaires pour bien herboriser.

    Une fois arrivés au logis, cependant qu'on apprêtait le
160 souper, ils répétaient quelques passages de ce qui avait été
lu, et ils s'asseyaient à table.

    Notez ici que son repas de midi était sobre et frugal, car
il mangeait seulement pour réfréner les abois de l'estomac ;
mais le souper était copieux et abondant, car il en prenait ce
165 qu'il était besoin pour son entretien et pour sa nourriture :
c'est la vraie diététique[2], prescrite par l'art de bonne et sûre
médecine, bien qu'un tas de médecins stupides, rassotés à
l'école des sophistes, conseillent le contraire.

    Durant ce souper, on continuait la leçon du repas de
170 midi, tant que bon semblait ; le reste était consommé en
bons propos, riches de culture et d'utilité.

    Après grâces rendues[3], ils s'adonnaient à chanter, à
jouer d'instruments harmonieux, ou s'amusaient à ces petits
passe-temps qu'on fait aux cartes, aux dés et aux gobelets, et
175 ils demeuraient là, à faire grande chère et à se réjouir, quelquefois jusqu'à l'heure de dormir. D'autres fois, ils allaient

---

1. Rhizotome : en grec, « coupeur de racines ».
2. Diététique : régime alimentaire.
3. Grâces rendues : après le souper, ils disent une prière d'action de
grâces.

visiter les cercles de gens cultivés, ou de voyageurs qui avaient vu des pays étrangers.

En pleine nuit, avant de se retirer, ils allaient à l'endroit le
180 plus découvert de leur logis, pour voir l'apparence du ciel, et là ils notaient les comètes, quand il y en avait, ainsi que les figures, les situations, les positions respectives, oppositions et conjonctions [1] des astres.

Ensuite, avec son précepteur, Gargantua récapitulait
185 brièvement, à la mode des philosophes pythagoriciens [2], tout ce qu'il avait lu, vu, su, fait et entendu au cours de toute la journée.

Alors ils priaient Dieu le Créateur, en l'adorant et en proclamant leur foi envers lui. Puis en le glorifiant de sa
190 bonté immense et en lui rendant grâce de tout le temps passé, ils se recommandaient à sa divine clémence pour tout l'avenir.

Ce fait, ils entraient en leur repos.

---

1. *Oppositions* : distance de 180 degrés entre deux astres. *Conjonction* : rencontre apparente de deux astres dans le même signe du zodiaque.
2. *Pythagoriciens* : les disciples du philosophe ancien Pythagore.

LA GUERRE PICROCHOLINE

XXV

Comment entre les fouaciers [1] de Lerné et les gens du pays de Gargantua naquit le grand débat dont furent faites grosses guerres

En ce temps-là, qui était la saison des vendanges, au commencement de l'automne, les bergers de la contrée étaient à garder les vignes et à empêcher que les étourneaux [2] ne mangeassent les raisins.

5 Au même moment, les fouaciers de Lerné [3] passaient le grand carrefour, portant dix ou douze charges de fouaces à la ville.

Lesdits bergers les requirent courtoisement de leur en donner pour leur argent, au prix du marché. Car notez

---

1. *Fouaciers* : marchands de fouaces, c'est-à-dire de brioches.
2. *Étourneaux* : variété d'oiseaux.
3. *Lerné* : ce nom propre et tous ceux des chapitres suivants nous renvoient à la région de Chinon, près de La Devinière, la maison natale de Rabelais, en Touraine.

que c'est nourriture céleste que de manger à déjeuner des
raisins avec de la fouace fraîche, surtout des pineaux[1], des
sauvignons, des muscadets, de la bicane ou des foireux
pour ceux qui sont constipés : car ils les font aller[2] long
comme une pique ; et souvent, pensant péter, ils se
conchient.

À leur requête les fouaciers ne consentirent nullement,
mais (qui pis est) ils les outragèrent grandement, les appelant fardeaux de la terre, brèchedents[3], plaisants rouquins,
plaisantins, chienlits, coquins, hypocrites, goulus, ventrus,
fanfarons, vauriens, rustres, acheteurs, parasites, traîneurs
de sabre, ornements de braguette, copieurs, paresseux,
balourds, crétins, drôles, jouisseurs, plaisantins, claque-
dents, bouviers d'ordure, bergers de merde, et autres telles
épithètes injurieuses, ajoutant qu'il ne leur appartenait pas
de manger de ces belles fouaces ; mais qu'ils devaient se
contenter de pain grossier et de tourte.

À cet outrage, l'un d'entre eux, nommé Frogier, un bien
honnête homme de sa personne et connu comme bon gar-
çon, répondit doucement :

« Depuis quand avez-vous pris des cornes, que vous êtes
devenus tant rogues ? Eh bien, vous aviez l'habitude de
nous en donner volontiers, et maintenant vous vous y refu-
sez. Ce n'est pas une attitude de bons voisins, et ce n'est
pas ce que nous vous faisons, quand vous venez ici acheter
notre beau froment, dont vous faites vos gâteaux et vos
fouaces. Par-dessus le marché, nous vous aurions donné
de nos raisins ; mais par la mère Dieu, vous pourriez le

---

1. Toutes ces variétés de raisins existent.
2. *Les font aller* : aux toilettes.
3. *Brèchedents* : casse-dents.

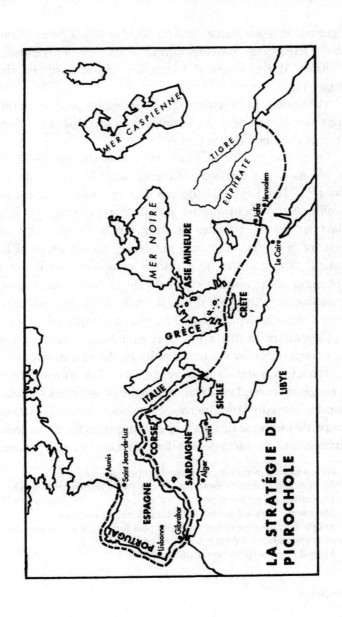

LA STRATÉGIE DE PICROCHOLE

MER CASPIENNE

MER NOIRE

ASIE MINEURE

MER NOIRE

TIGRE

EUPHRATE

Jérusalem

Jaffa

Le Caire

CRÈTE

GRÈCE

ITALIE

SICILE

LIBYE

SARDAIGNE

CORSE

Tunis

Alger

Aunis

Saint Jean-de-luz

ESPAGNE

Gibraltar

PORTUGAL

Lisbonne

regretter, et vous aurez quelque jour affaire à nous. Nous vous ferons la pareille, qu'il vous en souvienne ! »

40   Alors Marquet, grand bâtonnier[1] de la confrérie des fouaciers, lui dit :

« Vraiment, tu dresses la crête comme un coq, ce matin ; tu as mangé trop de grain de mil hier au soir. Viens çà, viens çà, je te donnerai de ma fouace ! »

45   Frogier approcha en toute naïveté, et tira une pièce de sa ceinture, pensant que Marquet allait lui sortir de ses fouaces. Mais l'autre lui donna de son fouet à travers les jambes si rudement que les nœuds y apparaissaient. Puis Marquet voulut prendre la fuite ; mais Frogier cria au

50   meurtre, à l'aide, tant qu'il put, et en même temps il lui jeta un gros gourdin qu'il portait sous son aisselle, et il l'atteignit à la jointure coronale de la tête[2], sur l'artère crotaphique[3], du côté droit, de telle sorte que Marquet tomba de sa jument. Il avait l'air plus mort que vif.

55   Cependant les métayers[4] qui épluchaient les noix tout près accoururent avec leurs grandes gaules et frappèrent sur ces fouaciers comme sur du seigle vert[5]. Les autres bergers et bergères, entendant le cri de Frogier, y vinrent avec leurs frondes[6] et leurs lance-pierres, et les poursuivirent à grands

60   coups de pierre, si dru qu'il semblait que ce fût de la grêle. Finalement, ils rattrapèrent les fouaciers et leur prirent

---

1. *Bâtonnier* : il porte l'étendard lors des processions.
2. *La jointure coronale de la tête* : sur la partie antérieure de la tête.
3. *Crotaphique* : de la tempe.
4. *Métayers* : fermiers qui exploitent une ferme en location.
5. *Seigle vert* : on est obligé de taper plus fort sur le seigle pour faire sortir le grain quand il n'est pas assez mûr.
6. *Frondes* : armes pour lancer des pierres.

environ quatre ou cinq douzaines de leurs fouaces. Toutefois ils les payèrent au prix accoutumé et leur donnèrent une centaine de noix et trois paniers de raisins blancs. Puis les
65 fouaciers aidèrent Marquet à remonter sur sa monture, car il était vilainement blessé, et ils retournèrent à Lerné sans continuer sur le chemin de Parilly, en menaçant fort et ferme les bouviers, bergers et métayers de Seuilly et de Cinais.

70 Ce fait, bergers et bergères firent bonne chère avec ces fouaces et ces beaux raisins, et ils rigolèrent ensemble au son de la belle cornemuse, en se moquant de ces beaux fouaciers pleins de morgue, qui n'avaient pas eu de chance, faute de s'être signés de la bonne main[1] au matin ! Et avec de gros
75 raisins, ils essuyèrent mignonnement les jambes de Frogier, si bien qu'il guérit bientôt.

XXVI

Comment les habitants de Lerné,
sur le commandement de leur roi Picrochole,
attaquèrent par surprise les bergers de Gargantua

Une fois rentrés à Lerné, aussitôt, sans boire ni manger, les fouaciers se rendirent au Capitole[2], et là, devant leur roi Picrochole, troisième de ce nom, exposèrent leurs plaintes, en montrant leurs paniers rompus, leurs bonnets froissés,
5 leurs robes déchirées, leurs fouaces dérobées, et surtout

---

1. *Bonne main* : on pensait que faire le signe de croix avec la main gauche portait malheur.
2. *Capitole* : le centre du pouvoir romain. Picrochole joue les empereurs romains.

Marquet énormément blessé. Ils dirent que tout avait été fait par les bergers et les métayers de Grandgousier, près du grand carrefour, au-delà de Seuilly.

Incontinent, Picrochole entra dans un courroux furieux, et sans plus chercher le pourquoi ni le comment, il fit crier par le pays le ban et l'arrière-ban[1], et ordonna que chacun, sous peine de la corde[2], se trouvât en armes en la grand-place devant le château, à l'heure de midi.

Pour mieux confirmer son entreprise, il envoya battre le tambour autour de la ville. Lui-même, cependant qu'on apprêtait son dîner, alla faire mettre son artillerie sur l'affût, déployer ses enseignes et ses oriflammes[3], et charger force munitions, tant d'armes que de provisions de bouche.

En dînant, il distribua les rôles aux uns et aux autres, et par son édit le seigneur Trepelu[4] fut placé à l'avant-garde, où l'on comptait seize mille quatorze arquebusiers et trente-cinq mille onze fantassins.

À l'artillerie fut placé le Grand Écuyer Touquedillon[5]. On y comptait neuf cent quatorze grosses pièces de bronze : canons, doubles canons, basilics, serpentines, couleuvrines, bombardes, faucons, passevolants, spiroles et autres pièces[6]. L'arrière-garde fut donnée au duc Raquedenare[7]. Au cœur de la bataille se tinrent le roi et les princes de son royaume.

---

1. *Arrière-ban* : il fit mobiliser ses troupes.
2. *Corde* : pendaison.
3. *Oriflammes* : étendards.
4. *Trepelu* : le « minable ».
5. *Touquedillon* : le peureux.
6. *Autres pièces* : cette liste contient toutes sortes de canons, des canons massifs, d'autres longs et fins, ou de petites pièces trapues.
7. *Raquedenare* : le « grippe-sous ».

30   Ainsi sommairement organisés, avant de se mettre en route, ils envoyèrent trois cents cavaliers sous la conduite du capitaine Engoulevent[1], pour explorer le pays et savoir s'il n'y avait pas quelque embûche dans la contrée. Mais après avoir cherché avec diligence, ils trouvèrent tout le
35 pays en paix et en silence, sans aucun rassemblement.

    À ces nouvelles, Picrochole commanda que chacun se mît en marche, sous son enseigne, sans tarder.

    Alors, sans ordre ni mesure, ils gagnèrent les champs, pêle-mêle, gâtant et détruisant tout là où ils passaient, sans
40 épargner ni pauvre ni riche, ni lieu sacré ni profane. Ils emmenaient bœufs, vaches, taureaux, veaux, génisses, brebis, moutons, chèvres et boucs, poules, chapons, poulets, oisons, jars, oies, porcs, truies, gorets ; abattant les noix, vendangeant les vignes, emportant les ceps, secouant tous
45 les fruits des arbres. C'était un désordre innommable, et ils ne trouvèrent personne qui leur résistât. Mais chacun se mettait à leur merci, les suppliant de les traiter plus humainement, en considération de ce qu'ils avaient été de tout temps de bons et aimables voisins : jamais ils n'avaient
50 commis envers eux d'excès ou d'outrage, pour être ainsi tout à coup maltraités, et Dieu les en punirait sous peu. À ces remontrances, les autres ne répondaient rien, sinon qu'ils voulaient leur apprendre à manger de la fouace.

---

1. *Engoulevent* : qui avale le vent.

XXVII

Comment un moine de Seuilly sauva
le clos de l'abbaye [1] du sac [2] des ennemis

Ils firent tant, tourmentant, pillant et larronnant [3], qu'ils arrivèrent à Seuilly, et détroussèrent hommes et femmes, en prenant ce qu'ils purent : rien ne leur parut ni trop chaud ni trop pesant. Bien qu'il y eût la peste dans la plupart des
5 maisons, ils entraient partout, ravissaient tout ce qui était dedans, et jamais nul d'entre eux ne prit le mal, ce qui est un cas assez merveilleux. Car les curés, vicaires, prêcheurs, médecins, chirurgiens et apothicaires qui allaient visiter, panser, guérir, prêcher et admonester [4] les malades, étaient
10 tous morts de l'infection, et ces diables de pillards et de meurtriers n'attrapèrent pas le mal. D'où vient cela, messieurs ? Pensez-y, je vous prie.

Le bourg ainsi pillé, ils se rendirent à l'abbaye, dans un horrible tumulte, mais la trouvèrent fermée à double tour, si
15 bien que l'armée principale continua son chemin vers le gué de Vède : sauf sept compagnies de fantassins et deux cents lanciers, qui restèrent, et qui rompirent les murs du clos afin de gâter toute la vendange.

Les pauvres diables de moines ne savaient auquel de leurs
20 saints se vouer. À tout hasard, ils firent sonner *au chapitre les*

---

1. *Abbaye* : gros couvent.
2. *Sac* : pillage.
3. *Larronnant* : dérobant.
4. *Admonester* : exhorter.

capitulants [1]. Là fut décrété qu'ils feraient une belle procession, complétée de beaux prêches et de litanies [2] contre les assauts des ennemis, et de beaux cantiques pour la paix.

En l'abbaye était pour lors un moine cloîtré, nommé
25 Frère Jean des Entommeures [3], jeune, de fière allure, alerte, joyeux, adroit, entreprenant, décidé, haut, maigre, bien fendu de gueule, bien avantagé en nez, beau dépêcheur d'heures [4], beau débrideur de messes [5], beau décrotteur de vigiles [6] pour tout dire sommairement vrai moine s'il en fut
30 jamais depuis que le monde moinant moina de moinerie [7]. Au reste, clerc jusqu'aux dents en matière de bréviaire [8].

Entendant le bruit que faisaient les ennemis dans le clos de leur vigne, il sortit pour voir ce qu'ils faisaient. Et avisant qu'ils vendangeaient leur clos, où était leur boisson de toute
35 l'année, il retourne au chœur de l'église, où se trouvaient les autres moines, tout étonnés. En les voyant chanter « Ini nim, pe, ne, ne, ne, ne, ne, ne, tum, ne, num, num, ini, i, mi, i, mi, co, o, ne, no, o, o, ne, no, ne, no, no, no, rum, ne, num, num [9] » : « C'est, dit-il, bien chien chanté ! Vertu Dieu, que
40 ne chantez-vous :

---

1. *Capitulants* : ceux qui participent au chapitre, c'est-à-dire au conseil.
2. *Litanies* : prières faites d'une suite d'invocations.
3. *Entommeures* : du hachis.
4. *Dépêcheur d'heures* : qui disait ses prières de la journée à toute allure.
5. *Débrideur de messes* : qui expédiait ses messes rapidement.
6. *Vigiles* : veilles de fêtes religieuses.
7. *Moinerie* : depuis qu'il y a des moines.
8. *Bréviaire* : un clerc (religieux cultivé) qui connaissait parfaitement son bréviaire, livre contenant les prières quotidiennes. Rabelais joue sur l'expression « armé jusqu'aux dents ».
9. *Impetum inimicorum* : en latin, « l'assaut des ennemis ».

« "Adieu, paniers, vendanges sont faites ?"

« Je me donne au Diable, s'ils ne sont en notre clos, et si bien coupent ceps et raisins qu'il n'y aura, par le corps Dieu[1] pendant quatre années rien à grappiller là-dedans. Ventre saint Jaques ! Que boirons-nous pendant ce temps, nous autres pauvres diables ? Seigneur Dieu, donne-moi à boire ! »

Alors le prieur[2] du cloître dit :

« Que fait cet ivrogne ici ? Qu'on me le mène en prison ! Troubler ainsi le service divin ?

– Mais, dit le moine, le service du vin, faisons en sorte qu'il ne soit pas troublé, car vous-même, Monsieur le Prieur, vous aimez boire, et du vin le meilleur. Ainsi fait tout homme de bien. Jamais homme noble ne hait le bon vin, c'est un précepte des moines. Mais ces cantiques que vous chantez ici ne sont, par Dieu, point de saison !

« Pourquoi nos prières sont-elles courtes en temps de moissons et de vendanges, et longues avant Noël et pendant tout l'hiver ?

« Feu Macé Pelosse, homme de bonne mémoire, partisan zélé de notre religion (ou je me donne au diable), m'a dit, je m'en souviens, que c'était afin qu'en cette saison nous puissions bien rentrer la vendange et produire le vin, et qu'en hiver nous le humions.

« Écoutez, Messieurs, vous autres qui aimez le vin : par le corps Dieu, suivez-moi ! Hardiment, que saint Antoine me brûle[3] si ceux qui n'auront pas secouru la vigne ont le

---

1. **Corps Dieu** : juron.
2. **Prieur** : le père supérieur.
3. **Brûle** : le « feu saint Antoine » est une maladie accompagnée de brûlures.

L'humanisme

L'homme, un univers à découvrir

François Rabelais est un écrivain humaniste. Au XVIe siècle, la préoccupation principale des humanistes est de connaître l'être humain, de s'interroger sur son sort, d'identifier les conditions qui pourraient assurer son bien-être en société et son bonheur personnel.

▲ Jean II de Gourmont, *Connais-toi toi-même*, 1562.
Pour les humanistes, l'être humain est un univers à découvrir, conformément à un impératif antique inscrit sur le fronton d'un temple de Delphes dédié à Apollon et que conseille de suivre le philosophe Platon : « Connais-toi toi-même. »

L'ouverture culturelle

Les humanistes considèrent la connaissance de l'étranger comme un facteur d'enrichissement culturel. Sur ce tableau, les ambassadeurs sont détenteurs non pas des instruments de la guerre mais de ceux du savoir.

▲ Holbein le Jeune, *Les Ambassadeurs*, 1533.

Question

Après avoir cherché la définition d'« anamorphose », vous identifierez la figure représentée en bas du tableau. D'après vous, pourquoi l'avoir placée dans le portrait d'ambassadeurs riches et puissants ?

L'importance de l'éducation

Pour les humanistes, une éducation de qualité est déterminante pour l'épanouissement de chacun.

▲ *Le Maître et son élève*, planche servant à illustrer un ouvrage de Marsile Ficin, 1509.

La guerre

Au XVIᵉ siècle, l'Europe connaît de nombreux conflits, en particulier les guerres d'Italie (1494-1559) et les guerres de Religion entre catholiques et protestants (1562-1598), qui entraînent des atrocités que les humanistes dénoncent.

Une Europe en conflit

▲ Verrocchio, *Statue du Colleone*, représentant le *condottiere* Colleoni (Venise), 1483-1488. Les *condottieres* sont des soldats mercenaires qui mettent leur art de la guerre au service des États, principalement en Italie.

L'horreur de la guerre

▲ Brueghel l'Ancien, *Le Triomphe de la mort*, 1562.

© Photo Josse / Leemage

Question

Quel sentiment le peintre cherche-t-il à susciter chez le spectateur de ce tableau ?
Justifiez votre réponse.

▲ Holbein le Jeune, *Le Camp du Drap d'Or*, 1545.

Rabelais illustré

Les romans de Rabelais font preuve d'une imagination si riche qu'ils ont inspiré nombre d'illustrateurs du XVIᵉ siècle jusqu'à nos jours.

▶ On attribue à François Desprez, contemporain de Rabelais, un ouvrage composé de cent vingt vignettes intitulé *Les Songes drolatiques de Pantagruel* (1565) dans lequel le dessinateur invente les rêves grotesques qu'aurait pu faire le père de Gargantua. Dans l'illustration ci-contre, sont évoqués deux thèmes chers à Rabelais : l'ivresse et la violence.

Une diplomatie difficile

Le camp du Drap d'Or est le nom donné à la rencontre diplomatique entre le roi de France, François Ier, et le roi d'Angleterre, Henri VIII, du 7 au 24 juin 1520, dans le nord de la France. Chaque cour rivalise dans la magnificence pour impressionner l'autre camp ; la rencontre eut lieu dans un pavillon cousu de fil d'or.

▲ Bois gravé anonyme illustrant la guerre picrocholine dans une édition de *Gargantua* datant de 1537.

▶ Albert Robida, romancier et dessinateur, illustre *Gargantua* dans une édition de 1885.

Question

Quelle impression le dessinateur veut-il créer chez le spectateur avec cette représentation de Gargantua ? Justifiez votre réponse.

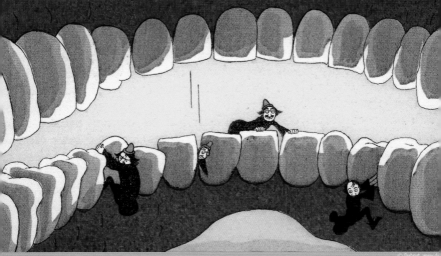

▲ Au XXᵉ siècle, Albert Dubout tente de retrouver tout l'humour de Rabelais, par exemple dans cette illustration du chapitre XXXVIII, « Comment Gargantua mangea en salade six pèlerins ».

droit de tâter du piot[1] ! Ventre Dieu, les biens de l'Église !
Ha non, non ! Diable ! Saint Thomas Becket[2] mourut pour
70 défendre les biens de l'Église : si je mourais de cette façon,
ne serais-je pas saint, moi aussi ? Je ne mourrai pas, pourtant, car c'est moi qui vais tuer les autres. »

Ce disant, il mit bas son grand habit, et il se saisit du
bâton de la croix[3], qui était en cœur de sorbier[4], long
75 comme une lance, rond dans la main, et quelque peu semé
de fleurs de lis[5], presque toutes effacées. Il sortit en belle
tunique, mit son froc[6] en écharpe, et de son bâton de croix
il frappa brusquement sur les ennemis, qui sans ordre ni
enseigne[7], ni trompette ni tambour, vendangeaient dans le
80 clos : car les porte-drapeaux et porte-enseignes avaient mis
leurs drapeaux et leurs enseignes le long des murs, les bat-
teurs de tambours avaient défoncé leurs tambours d'un
côté pour les remplir de raisins, les trompettes étaient char-
gées de rameaux de vigne, tous étaient en débandade. Il
85 cogna donc si roide[8] sur eux, sans crier gare, qu'il les renversait comme porcs, frappant à tort et à travers, à la façon
des vieux escrimeurs[9].

Aux uns il écrabouillait la cervelle, aux autres il rompait
bras et jambes, aux autres il démettait les vertèbres du cou,

---

1. **Piot** : voir note 2, p. 25.
2. **Thomas Becket** : assassiné en 1170 par des partisans d'Henri II
d'Angleterre.
3. **Bâton de la croix** : le grand bâton, qui sert à porter la croix dans les
processions.
4. **Sorbier** : variété d'arbre.
5. **Fleurs de lis** : emblème du royaume de France.
6. **Froc** : partie de l'habit du moine qui couvre la tête et les épaules.
7. **Enseigne** : étendard.
8. **Roide** : fort.
9. **Escrimeurs** : sans les élégances des escrimeurs modernes.

90 aux autres il cassait les reins, descendait le nez, pochait les yeux, fendait les mâchoires, enfonçait les dents dans la gueule, écroulait les omoplates, défonçait les jambes, déboîtait les hanches, écrasait les os des membres.

Si l'un d'eux voulait se cacher entre les ceps les plus 95 épais, il lui froissait toute l'arête du dos, et il lui cassait les reins comme à un chien.

Si quelqu'un voulait s'enfuir, il lui faisait voler la tête en pièces, à la jonction des os du crâne.

Si un autre grimpait à un arbre, pensant y être en 100 sûreté, avec son bâton il l'empalait[1] par le fondement.

Si une vieille connaissance lui criait :

« Ah, Frère Jean, mon ami, Frère Jean, je me rends !

– Tu es bien obligé, lui disait-il. Mais en même temps tu vas rendre l'âme à tous les diables. »

105 Et soudain il cognait dessus. Et si quelqu'un avait assez de témérité pour lui résister en face, là, il montrait la force de ses muscles ! Car il leur transperçait la poitrine à travers le médiastin[2] et le cœur. À d'autres, en tapant sur le défaut des côtés, il leur retournait l'estomac, et ils mouraient sur 110 l'heure. Aux autres il frappait si férocement sur le nombril qu'il leur faisait sortir les tripes. Croyez que c'était le plus horrible spectacle que l'on vit jamais.

Les uns criaient : Sainte Barbe !

Les autres : Saint Georges !

115 Les autres : Sainte Nitouche[3] ! [...]

---

1. *Empaler* : transpercer d'un pieu.

2. *Médiastin* : membrane qui sépare le thorax en deux.

3. *Sainte Nitouche* : ce nom n'apparaît pas dans le calendrier chrétien…

Les uns mouraient sans parler. Les autres parlaient sans mourir. Les uns mouraient en parlant, les autres parlaient en mourant.

Les autres criaient à haute voix : « Confession ! Confes-
120 sion ! Je me repens ! Ayez pitié ! Je me remets entre vos mains ! »

XXVIII
Comment Picrochole prit d'assaut La Roche-Clermault, et le regret et l'hésitation de Grandgousier à entreprendre la guerre

Cependant que le moine s'escarmouchait, comme nous avons dit, contre ceux qui étaient entrés dans le clos, Picrochole, en grande hâte, traversa le gué de Vède avec ses gens, et assaillit La Roche-Clermault. On ne lui fit
5 aucune résistance, et parce qu'il était déjà nuit, il décida de se loger, lui et ses gens, dans cette ville, et d'y laisser passer sa crise de colère.

Au matin, il prit d'assaut les remparts et les fortifications, il les pourvut très bien de défenses, et y plaça les munitions
10 nécessaires, pensant se retirer là s'il était assailli par ailleurs. Car l'endroit était difficile à prendre, à cause des ouvrages d'art, mais aussi par suite de sa situation et de sa position naturelles.

Or laissons-les, et retournons à notre bon Gargantua qui
15 est à Paris, bien appliqué à l'étude des belles-lettres et aux exercices athlétiques, et au vieux bonhomme Grandgousier, son père, qui après le souper se chauffe à un beau, clair et grand feu : en attendant que les châtaignes grillent, il écrit

dans le foyer avec un bâton brûlé d'un bout, qui sert à
20 tisonner le feu, en faisant à sa femme et à sa famille de
beaux contes du temps jadis.

Un des bergers qui gardaient les vignes, nommé Pillot,
se rendit auprès de lui à ce moment-là, et lui raconta par le
détail les excès et les pillages que faisait Picrochole, roi de
25 Lerné, en ses terres et en ses domaines, et comment il avait
pillé, gâté, saccagé tout le pays, excepté le clos de Seuilly,
que Frère Jean des Entommeures avait sauvé à grand honneur. Et de présent était ce roi en La Roche-Clermault, et
là, en grande diligence, il se retranchait [1], avec ses gens.

30 « Hélas, hélas, dit Grandgousier, qu'est-ce donc, bonnes
gens ? Est-ce que je rêve, ou ce qu'on me dit est-il vrai ?
Picrochole, mon vieil ami de tout temps, de par la race et
par l'alliance, me vient-il assaillir ? Qu'est-ce qui le pousse ?
Qu'est-ce qui le pique ? Et qui le mène ? Qui l'a ainsi
35 conseillé ? Ho, ho, ho, ho, ho, mon Dieu, mon Sauveur,
aide-moi, inspire-moi, conseille-moi ce que je dois faire ! Je
proteste, je jure devant toi (ainsi me sois-tu favorable !) que
jamais je ne lui ai fait déplaisir, que je n'ai causé nul dommage à ses gens, et que je n'ai pas pillé ses terres ; mais bien
40 au contraire, je l'ai secouru, en partageant avec lui gens,
argent, influence, bons conseils, chaque fois que j'ai pu
reconnaître où était son avantage. Qu'il m'ait donc outragé
à ce point, ce ne peut être que sous l'effet de l'esprit malin [2].
Bon Dieu, tu connais mes sentiments, car à toi rien ne peut
45 être celé. Si par hasard il était devenu furieux, et que pour
lui remettre le cerveau en ordre, tu me l'eusses envoyé ici,

---

1. *Retranchait* : faisait des fortifications pour soutenir un siège.
2. *Esprit malin* : le Diable.

donne-moi pouvoir et savoir de le remettre au joug[1] de ta sainte volonté, par bonne discipline.

« Ho, ho, ho, mes bonnes gens, mes amis et mes loyaux serviteurs, faudra-t-il que je vous ennuie en vous demandant de l'aide ? Las, ma vieillesse ne désire dorénavant que le repos, et toute ma vie je n'ai travaillé qu'à la paix. Mais il faut, je le vois bien, que maintenant je charge de l'armure mes pauvres épaules lasses et faibles, et qu'en ma main tremblante je prenne la lance et la massue pour secourir et protéger mes pauvres sujets. La raison le veut ainsi, car de leur labeur je suis entretenu, et de leur sueur je suis nourri, moi, mes enfants et ma famille.

« Pourtant je n'entreprendrai pas de guerre avant d'avoir essayé tous les procédés et tous les moyens pour conserver la paix. Telle est ma décision. »

Alors il fit convoquer son conseil et exposa l'affaire comme elle était, et il fut conclu qu'on enverrait à Picrochole un homme prudent, afin de savoir pourquoi si soudainement ce roi avait perdu son calme, et avait envahi les terres sur lesquelles il n'avait aucun droit. De plus, on enverrait chercher Gargantua et ses gens, afin de protéger le pays et de le défendre dans cette situation. Le tout plut à Gargantua, et il commanda qu'ainsi fût fait.

Sur l'heure, il envoya le Basque, son laquais, chercher Gargantua en toute hâte, et il écrivit à son fils ce qui s'ensuit.

---

1. *Remettre au joug* : sous l'autorité de.

XXIX
La teneur[1] de la lettre que Grandgousier
écrivit à Gargantua

La ferveur avec laquelle tu étudies aurait demandé que de longtemps je n'eusse pas à te tirer de cette retraite philosophique, si la confiance en nos amis et en nos anciens alliés n'avait été trahie, ce qui a présentement troublé la tranquillité de ma vieillesse. Mais puisque tel est mon fatal destin que je suis inquiété par ceux auxquels je me fiais le plus, force m'est de te rappeler, pour secourir les gens et les biens qui te sont confiés par droit naturel.

Car de même que les armes sont impuissantes au dehors si la décision n'est prise en la maison, aussi vaine est la réflexion, et aussi inutile la décision, qui en temps opportun ne sont pas mises avec courage en pratique et en application[2].

Mon intention n'est pas de provoquer, mais d'apaiser ; non pas d'assaillir, mais de défendre ; non pas de conquérir, mais de garder mes loyaux sujets ainsi que mes terres héréditaires[3], où Picrochole est entré de façon hostile, sans cause ni raison, et où de jour en jour il poursuit sa furieuse entreprise, avec des excès intolérables pour des personnes libres.

Je me suis mis en devoir de modérer sa colère tyrannique, en lui offrant tout ce que je pensais susceptible de le contenter,

---

1. *Teneur* : contenu.
2. *Application* : il faut passer à l'acte.
3. *Terres héréditaires* : qui se transmettent par héritage.

et plusieurs fois j'ai envoyé à l'amiable des gens auprès de lui, pour comprendre en quoi, par qui et comment il se sentait outragé. Mais de lui je n'ai eu réponse que de défiance volon-
25 *taire : en mes terres il prétendait être comme chez lui ! J'en ai conclu que Dieu éternel l'a abandonné au gouvernail de son franc arbitre et de sa propre intelligence[1], qui ne peuvent être que méchants si par grâce divine[2] ils ne sont continuellement guidés. Et pour le maintenir dans le chemin du devoir et le*
30 *ramener à la sagesse, Dieu me l'a envoyé ici dans des circons-tances bien pénibles.*

Aussi, mon fils bien-aimé, le plus tôt que tu le pourras, après la lecture de cette lettre, reviens en hâte pour nous secourir, non pas tant moi-même (ce que tu dois cependant
35 *faire par pitié naturelle) que tes sujets, car tu peux à bon droit les sauver et les garder de tout mal. L'exploit sera accompli en répandant le moins de sang possible, et de pré-férence grâce à des moyens plus efficaces, des stratagèmes[3] et des ruses de guerre : nous sauverons toutes les âmes[4] et*
40 *renverrons ces gens joyeux à leurs domiciles.*

Très cher fils, la paix de Christ, notre Rédempteur[5], soit avec toi.

Salue Ponocrates, Gymnaste et Eudémon de ma part.

Du vingtième jour de septembre.
45 *Ton père, Grandgousier.*

---

1. Intelligence : il n'est plus guidé par la sagesse divine, mais aban-donné à ses facultés humaines, insuffisantes.

2. Grâce divine : aide de l'esprit divin.

3. Stratagèmes : feintes.

4. Toutes les âmes : toutes les vies.

5. Rédempteur : sauveur.

Comment Grandgousier, pour acheter la paix, fit rendre les fouaces

« Puisqu'il n'est question que de quelques fouaces, dit Grandgousier, j'essayerai de le contenter, car il me déplaît trop de déclarer la guerre. »

Alors il demanda combien on avait pris de fouaces, et
5 entendant qu'il s'agissait de quatre ou cinq douzaines, il commanda qu'on en fît cinq charretées dans la nuit. L'une serait de fouaces faites avec du beau beurre, de beaux jaunes d'œufs, du beau safran[1] et de belles épices, pour Marquet : en guise de dédommagement, il lui donnait sept cent mille
10 et trois pièces d'or pour payer les chirurgiens qui l'avaient pansé, et de plus il lui donnait la métairie[2] de la Pomardière, à jamais, exempte d'impôts pour lui et les siens. Afin de conduire le tout et de passer sans encombre, il envoya Gallet, qui fit cueillir dans le chemin près de la Saulaie force
15 grands rameaux de jonc et de roseau, et en fit armer les charrettes et chacun des charretiers. Lui-même en prit un dans la main, voulant signifier qu'ils ne demandaient que la paix et qu'ils venaient pour l'acheter.

Arrivés à la porte, ils demandèrent à parler à Picrochole
20 de la part de Grandgousier. Picrochole ne voulut jamais les laisser entrer, ni aller leur parler, et il leur fit dire qu'il était

---

1. **Safran** : épice de couleur jaune.
2. **Métairie** : ferme qui est mise ensuite en location.

occupé : ils n'avaient qu'à dire ce qu'ils voulaient au capitaine Touquedillon, qui était en train de faire mettre un canon à l'affût[1] sur les murailles. Alors le bonhomme Gallet lui dit :

« Seigneur, pour vous tirer de cette querelle, et pour vous ôter toute excuse de ne pas revenir à notre alliance première, nous vous rendons présentement les fouaces qui sont cause de ce débat. Nos gens en ont pris cinq douzaines ; elles ont été très bien payées. Nous aimons tant la paix que nous en rendons cinq charrettes, et celle-ci sera pour Marquet, qui se plaint le plus. En outre, pour le contenter entièrement, voilà sept cent mille et trois pièces d'or que je lui livre, et pour les intérêts auxquels il pourrait prétendre, je lui cède la métairie de la Pomardière, à perpétuité, pour lui et les siens, libre de tous droits : voyez ici le contrat de transaction[2]. Et pour Dieu, vivons dorénavant en paix, et retirez-vous en vos terres joyeusement, en quittant cette place sur laquelle vous n'avez aucun droit, comme vous le reconnaissez bien. Et soyons amis comme auparavant. »

Touquedillon raconta le tout à Picrochole, et envenima encore ses sentiments en lui disant :

« Ces rustres ont belle peur. Par Dieu, Grandgousier se conchie, le pauvre buveur ! Ce n'est pas son affaire d'aller en guerre, mais bien de vider des flacons. Je suis d'avis que nous gardions les fouaces et l'argent, et que pour le reste nous nous hâtions de nous retrancher ici et de poursuivre notre bonne fortune. Pensent-ils donc avoir affaire à une dupe[3],

---

1. *À l'affût* : en position de tir.
2. *Transaction* : affaire traitée entre deux personnes.
3. *Dupe* : personne que l'on trompe.

de vous repaître de ces fouaces ? Voilà ce que c'est : le
50 bon traitement et la grande familiarité que vous leur avez
manifestée auparavant vous ont rendu méprisable à leurs
yeux : "Oignez vilain, il vous poindra, poignez vilain, il vous
oindra[1]."

– Çà, çà, çà, dit Picrochole, par saint Jacques, ils en
55 auront ! Faites comme vous avez dit.

– Je veux vous avertir d'une chose, dit Touquedillon.
Nous sommes ici assez mal ravitaillés, et maigrement pour-
vus d'armures de gueule[2]. Si Grandgousier mettait le siège
ici, dès à présent j'irais me faire arracher toutes les dents.
60 Qu'il nous en reste seulement trois, à vos gens et à moi-
même, et avec ces trois-là nous n'aurons que trop vite
mangé vos provisions.

– Nous n'aurons que trop de mangeaille, dit Picrochole.
Sommes-nous ici pour manger ou pour batailler ?

65 – Pour batailler, vraiment, dit Touquedillon, mais de la
panse vient la danse, et quand la faim règne, la force s'en va.

– Tant jaser[3] ! dit Picrochole. Saisissez ce qu'ils ont
amené. »

Alors ils prirent l'argent, les fouaces, les bœufs et les
70 charrettes et ils renvoyèrent les hommes de Grandgousier,
sans mot dire, sinon qu'ils n'approchent plus de si près,
pour la raison qu'on leur dirait le lendemain. Ainsi, sans
être arrivés à rien, Gallet et ses compagnons revinrent
auprès de Grandgousier, et ils lui racontèrent tout, ajoutant

---

1. *Oignez vilain, il vous poindra, poignez vilain, il vous oindra* :
proverbe, «Pommadez le vilain, il vous piquera ; piquez-le, il vous pom-
madera », au sens de *flatter.*
2. *De gueule* : de provisions.
3. *Jaser* : bavarder.

qu'il n'y avait aucun espoir de ramener ces gens à la paix, sinon par vive et forte guerre.

XXXIII
Comment certains gouverneurs de Picrochole, par leurs conseils précipités, le mirent au dernier péril

Les fouaces dérobées, comparurent devant Picrochole le duc de Menuail, le comte Spadassin[1] et le capitaine Merdaille, et ils lui dirent :

« Sire, aujourd'hui nous faisons de vous le prince le plus
5 heureux, le plus chevalereux qui fut jamais depuis la mort d'Alexandre, roi de Macédoine.

– Couvrez-vous, couvrez-vous[2], dit Picrochole.

– Grand merci, Sire, nous sommes prêts à faire notre devoir. Voici notre plan :
10 « Vous laisserez ici quelque capitaine en garnison avec une petite troupe de gens pour garder la place, qui nous semble assez forte, tant par sa situation naturelle que grâce aux remparts faits selon vos plans. Votre armée, vous la partagerez en deux, comme vous l'entendez bien. Une partie
15 ira se précipiter sur ce Grandgousier et sur ses gens. Dès le premier abord, elle en aura facilement raison. Là, vous récupérerez de l'argent à tas[3], car le vilain[4] en a : nous disons

---

1. *Spadassin* : homme habile à l'épée.
2. *Couvrez-vous* : remettez votre chapeau. Les Grands d'Espagne ont le droit de rester couverts devant le roi.
3. *À tas* : en masse.
4. *Vilain* : d'une classe sociale inférieure.

vilain, parce qu'un noble prince n'a jamais le sou. Thésauriser[1] est acte de vilain.

20 « L'autre partie, cependant, se dirigera vers l'Aunis[2], la Saintonge, l'Angoumois et la Gascogne, et aussi vers le Périgord, le Médoc et les Landes. Sans aucune résistance, ils prendront villes, châteaux et forteresses. À Bayonne, à Saint-Jean-de-Luz et à Fontarabie, vous saisirez tous les
25 navires, et en longeant la côte vers la Galice et le Portugal, vous pillerez les provinces maritimes jusqu'à Lisbonne, où vous trouverez en renfort tout l'équipage nécessaire à un conquérant. Par le corbieu, l'Espagne se rendra, car ce ne sont que les lourdauds. Vous passerez par le détroit de
30 Séville[3], et là vous érigerez deux colonnes plus magnifiques que celles d'Hercule, pour perpétuer la mémoire de votre nom. Ce détroit sera nommé la mer Picrocholine. Passé la mer Picrocholine, voici Barberousse[4] qui devient votre esclave.

35 – Je lui ferai grâce, dit Picrochole.

– Oui, dirent-ils, pourvu qu'il se fasse baptiser. Et vous attaquerez les royaumes de Tunis, de Bizerte, d'Alger, de Bône, de Cyrène, hardiment toute la Barbarie[5]. En allant plus loin, vous prendrez en main Majorque, Minorque, la
40 Sardaigne, la Corse et les autres îles du golfe de Gênes et des Baléares. En longeant la côte par la gauche, vous

---

1. *Thésauriser* : économiser.
2. Pour ce périple de Picrochole, voir la carte, p. 55.
3. *Détroit de Séville* : Gibraltar. Selon les Anciens, Hercule y avait érigé deux colonnes.
4. *Barberousse* : fameux corsaire musulman qui venait de prendre Tunis en 1534.
5. *Barbarie* : les États d'Afrique du Nord.

dominerez toute la Gaule narbonnaise[1], la Provence et le pays des Allobroges[2], Gênes, Florence, Lucques, et à Dieu va, Rome ! Le pauvre Monsieur du Pape meurt déjà de
45 peur.

– Par ma foi, dit Picrochole, je ne lui baiserai pas sa pantoufle.

– L'Italie prise, voilà Naples, la Calabre, les Pouilles et la Sicile mises à sac[3] et Malte avec. Je voudrais bien que ces
50 plaisants chevaliers qui étaient jadis à Rhodes vous résistent pour voir de leur urine[4] !

– J'irais volontiers à Lorette[5], dit Picrochole.

– Non, non, dirent-ils, ce sera au retour. De là nous prendrons la Crète, Chypre, Rhodes et les îles Cyclades, et nous
55 filerons sur la Morée[6]. Nous la tenons. Saint Treignan[7], Dieu garde Jérusalem[8], car le Soudan[9] n'est pas comparable à votre puissance.

– Je ferai donc rebâtir le Temple de Salomon.

– Non, dirent-ils, attendez un peu. Ne soyez jamais si
60 rapide en vos entreprises. Savez-vous ce que disait Octave Auguste[10] ? Hâte-toi lentement. Il vous faut d'abord

---

1. Gaule narbonnaise : nom donné par les Romains à une partie de la Gaule méridionale.

2. Allobroges : habitants du Dauphiné et de la Savoie.

3. Mises à sac : au pillage.

4. Pour voir de leur urine : pour voir ce qu'ils ont dans le ventre. Les chevaliers de Rhodes, chassés de leur île par les Turcs, s'étaient établis à Malte.

5. Lorette : lieu de pèlerinage italien.

6. Morée : l'Asie Mineure.

7. Saint Treignan : juron.

8. Jérusalem : que Dieu garde Jérusalem.

9. Le Soudan : le Sultan, souverain de l'empire turc.

10. Octave Auguste : empereur romain (de même que Julien l'Apostat).

posséder l'Asie Mineure, la Carie, la Lycie, la Pamphilie, la Cilicie, la Lydie, la Phrygie, la Mysie, la Bithynie, Carrasie, Adalia, Samagarie, Kastamoun, Luga, Sébasta, jusqu'à
65 l'Euphrate[1].

– Verrons-nous Babylone et le mont Sinaï ?

– Ce n'est pas nécessaire pour l'heure. N'est-ce pas assez de tracas que d'avoir traversé la mer Caspienne, et chevauché dans les deux Arabies et les trois Arménies ?

70 – Par ma foi, dit-il, nous sommes affolés ! Ah, pauvres gens !

– Quoi ? dirent-ils.

– Que boirons-nous par ces déserts ? Car l'empereur Julien l'Apostat et toute son armée y moururent de soif, à
75 ce qu'on dit.

– Nous avons déjà donné ordre à tout. Dans la mer Syriaque, vous avez neuf mille quatorze grands navires chargés des meilleurs vins du monde. Ils sont arrivés à Jaffa. Là se sont trouvés deux millions deux cent mille chameaux
80 et seize cents éléphants, que vous aurez pris à une chasse près de Sidjilmassa, lorsque vous êtes entrés en Libye, et de plus vous avez eu toute la caravane de La Mecque[2] ! Ne vous ont-ils pas fourni du vin à suffisance ?

– Oui, mais nous n'avons pas bu frais.

85 – Nom d'un petit poisson, dirent-ils, un preux, un conquérant, un prétendant et aspirant à l'empire universel, ne peut toujours avoir ses aises ! Dieu soit loué, vous êtes arrivés, vous et vos gens, sains et saufs jusqu'au fleuve du Tigre !

---

1. *Euphrate* : liste de régions et de villes d'Asie Mineure.
2. *La Mecque* : ville sainte d'Arabie Saoudite.

90   – Mais, dit-il, que fait cependant la partie de notre
armée qui a déconfit ce vilain ivrogne de Grandgousier ?

          – Ils ne chôment pas, dirent-ils. Nous les rencontrerons
bientôt. Ils ont pris pour vous la Bretagne, la Normandie,
les Flandres, le Hainaut, le Brabant, l'Artois, la Hollande,
95   la Zélande[1]. Ils ont passé le Rhin par-dessus le ventre des
Suisses et des Lansquenets[2]. Une partie d'entre eux a
dompté le Luxembourg, la Lorraine, la Champagne, la
Savoie jusqu'à Lyon. Là, ils ont trouvé vos garnisons, qui
revenaient des conquêtes navales en Méditerranée, et ils
100 sont rassemblés en Bohême, après avoir mis à sac[3] la
Souabe, le Wurtemberg, la Bavière, l'Autriche, la Moravie
et la Styrie. Puis ils se sont rués férocement tous ensemble
sur Lubeck, la Norvège, la Suède, le Danemark, la Gothie[4],
le Groenland, les villes de la Hanse[5], jusqu'à la mer Arc-
105 tique. Ceci fait, ils ont conquis les îles Orcades[6] et ils ont
soumis l'Écosse, l'Angleterre et l'Irlande. De là, naviguant
sur la Baltique et près des Sarmates[7], ils ont vaincu et
dominé la Prusse, la Pologne, la Lituanie, la Valachie, la
Transylvanie, la Hongrie, la Bulgarie, la Turquie, et ils sont
110 à Constantinople.

          – Rendons-nous près d'eux le plus tôt possible, dit
Picrochole, car je veux aussi être empereur de Trébizonde[8].

---

1. *Zélande* : province de Hollande.
2. *Lansquenets* : les mercenaires suisses et allemands.
3. *Mis à sac* : pillé (les États allemands et autrichiens).
4. *La Gothie* : le sud de la Suède.
5. *La Hanse* : Brême, Lambourg, Lubeck, en Allemagne du Nord.
6. *Îles Orcades* : au nord de l'Écosse.
7. *Sarmates* : ancien peuple de la Baltique.
8. *Trébizonde* : ville de Turquie, et ancienne capitale de l'empire grec de
Trébizonde, qui subsista jusqu'au XIIIe siècle.

Ne tuerons-nous pas tous ces chiens de Turcs et de Mahométans[1] ?

115   – Que diable ferons-nous donc ? dirent-ils. Et vous don-
nerez leurs biens et leurs terres à ceux qui vous auront loya-
lement servi.

    – La raison le veut, dit-il, c'est équité. Je vous donne la
Caramanie[2], la Syrie et toute la Palestine.

120   – Ah, dirent-ils, Sire que c'est bon à vous ! Grand
merci ! Dieu vous fasse toujours prospérer. »

    Là se trouvait pour l'heure un vieux gentilhomme,
éprouvé en divers périls et vrai routier de guerre, nommé
Échéphron. Il dit en entendant ces propos :

125   « J'ai grand-peur que toute cette entreprise ne soit semblable à la farce du pot au lait, dont un cordonnier se
faisait riche en rêve. Ensuite, le pot cassé, il n'eut pas de
quoi dîner. Que prétendez-vous par ces belles conquêtes ?
Quelle sera la fin de tant de travaux et d'obstacles ?

130   – Ce sera, dit Picrochole, que revenus au logis, nous
nous reposerons à notre aise. »

    Échéphron lui dit :

    « Et si vous n'en revenez jamais, car le voyage est long et
périlleux, n'est-ce pas mieux que dès maintenant nous nous
135 reposions, sans nous mettre dans ces périls ?

    – Oh, dit Spadassin, par Dieu, voici un bon rêveur ! Mais
allons nous cacher au coin de la cheminée, et passons avec
les dames notre vie et notre temps à enfiler des perles. […]

    – Sus, sus, dit Picrochole, qu'on mette tout en route, et
140 qui m'aime me suive ! »

---

1. *Mahométans* : musulmans, disciples du prophète Mahomet.
2. *Caramanie* : Turquie d'Asie.

XXXV

Comment Gymnaste tua en souplesse le capitaine Tripet et d'autres gens de Picrochole

Gymnaste fit semblant de descendre de cheval, et quand il fut suspendu du côté du montoir[1], il fit souplement le tour de l'étrivière[2], son épée au côté, et une fois passé par-dessous, il se lança en l'air, et se tint les deux pieds sur la

5 selle, le cul tourné vers la tête du cheval. Puis il dit : « Mon affaire va à l'envers ! »

Alors, dans la position où il était, il fit une pirouette sur un pied, et tournant à gauche, ne manqua pas de reprendre sa première position, sans en rien changer.

10 « Ah, dit Tripet, je ne ferai pas ce saut-là pour l'instant, et pour cause.

– Bren[3], dit Gymnaste, je me suis trompé, je vais reprendre ce saut. »

Alors, avec grande force et agilité, il refit cette pirouette,

15 en tournant à droite. Ceci fait, il mit le pouce de la main droite sur l'arçon[4] de la selle, et il leva son corps en l'air, en se soutenant sur le muscle et les tendons de ce pouce : et ainsi, il tourna trois fois. À la quatrième, il se renversa sans toucher à rien, et s'éleva entre les deux oreilles du cheval,

---

1. *Montoir* : côté où monte le cavalier.
2. *Étrivière* : courroie qui tient l'étrier. Ces exercices de voltige à cheval avaient été mis à la mode par les Italiens.
3. *Bren* : merde.
4. *Arçon* : armature métallique de la selle, formée de deux arceaux.

20 en soulevant tout son corps sur le pouce de la main gauche.
Dans cette position, il fit un moulinet[1]. Puis, frappant du
plat de la main droite sur le milieu de la selle, il se donna un
tel élan qu'il s'assit sur la croupe, comme les demoiselles[2].
Cela fait, tout à l'aise, il passe la jambe droite par-dessus la
25 selle, et se mit à chevaucher sur la croupe.

« Mais, dit-il, mieux vaut que je me mette entre les
arçons. »

Alors, en appuyant les pouces des deux mains sur la
croupe, devant lui, il se renversa cul par-dessus tête, en
30 l'air, et il se trouva entre les arçons, en bon maintien. Puis,
d'un soubresaut, il se tint pieds joints entre les arçons, et là
il tournoya plus de cent tours, les bras tendus en croix, et il
criait à haute voix : « J'enrage[3], diables, j'enrage, j'enrage,
tenez-moi, diables, tenez-moi, tenez ! »

35 Tandis qu'il faisait ces tours de voltige, les maroufles[4]
en grand ébahissement se disaient l'un à l'autre : « Par la
Mère de Dieu ! Vraiment, c'est un lutin ou un diable ainsi
déguisé. Délivre-nous de l'ennemi malin, Seigneur ! » Et ils
fuyaient sur le chemin, en regardant derrière eux, comme
40 un chien qui emporte une aile de volaille. Alors Gymnaste,
voyant son avantage, descend de cheval, dégaine son épée,
et à grands coups charge sur ceux qui ont la plus fière allure.
Il les renversait en gros tas, blessés, abîmés, meurtris, sans
qu'aucun lui résistât, pensant que ce fût un diable affamé, à

---

1. *Moulinet* : tour rapide.
2. *Comme les demoiselles* : en amazone, les deux jambes du même
côté.
3. *J'enrage* : il fait semblant d'être possédé par des diables, pour effrayer
les ennemis.
4. *Maroufles* : les marauds, les coquins.

⁴⁵ la fois à cause des merveilleux tours de voltige qu'il avait
faits et des propos que Tripet lui avait tenus, en l'appelant
« pauvre diable ».

XXXVI

Comment Gargantua démolit le château
du gué de Vède, et comment ils passèrent le gué

Gargantua monta sur sa grande jument, accompagné
comme nous l'avons dit. Et trouvant en son chemin un
arbre haut et grand (on l'appelait communément l'Arbre
de saint Martin[1], parce qu'il provenait d'un bâton que
⁵ saint Martin avait planté jadis et qui avait crû ainsi), il dit :
« Voici ce qu'il me fallait : cet arbre me servira de bâton et
de lance. »

Il l'arracha facilement de terre, en ôta les rameaux, et
l'arrangea pour son plaisir. Cependant sa jument pissa
¹⁰ pour se relâcher le ventre, mais ce fut en telle abondance
qu'elle en fit sept lieues[2] de déluge. Tout le pissat dériva au
gué de Vède, et l'enfla tellement au fil de l'eau que toute
cette troupe des ennemis fut noyée horriblement, excepté
certains qui avaient pris le chemin vers les coteaux à gauche.

¹⁵ Arrivé à l'endroit du gué de Vède, Gargantua fut avisé
par Eudémon que dans le château il restait des ennemis.
Pour le savoir, Gargantua s'écria aussi fort qu'il put :

« Êtes-vous là, ou n'y êtes-vous pas ? Si vous y êtes, n'y
soyez plus ; si vous n'y êtes pas, je n'ai rien à dire. »

---

1. *L'Arbre de saint Martin* : légende populaire.
2. *Lieue* : voir note 4, p. 37.

20   Mais un ribaud [1] de canonnier qui était au mâchicoulis [2]
lui tira un coup de canon, et l'atteignit à la tempe droite
furieusement : toutefois cela ne lui fit pas plus de mal que
s'il lui avait jeté une prune.

« Qu'est-ce que c'est que ça ? dit Gargantua. Nous jetez-
25 vous des grains de raisin ? La vendange vous coûtera cher. »
Il pensait vraiment que le boulet était un grain de raisin.

Ceux qui étaient dans le château, occupés à jouer à la
pile [3], en entendant le bruit coururent aux tours et aux fortins [4], et ils lui tirèrent plus de neuf mille vingt-cinq coups
30 de petits canons et d'arquebuse, visant tous à la tête, et ils
tiraient si dru contre lui qu'il s'écria :

« Ponocrates, mon ami, ces mouches-là m'aveuglent.
Donnez-moi quelque rameau de ces saules pour les
chasser ! »

35   Il pensait que les volées de plomb et les boulets de
pierre étaient des mouches à bœufs.

Ponocrates l'avertit que ce n'étaient d'autres mouches
que les coups d'artillerie tirés du château. Alors, de son
grand arbre, il cogna contre le château, et à grands coups
40 il abattit les tours et les fortins, et il effondra tout par terre.
Ainsi furent écrasés et mis en pièces ceux qui étaient dans
le château.

---

1. Ribaud : gredin.
2. Mâchicoulis : ouverture au sommet des murailles.
3. Jouer à la pile : jeu de mots. Les soldats de Picrochole jouent à la *pile*
(à la balle) et au *pillage* (de La Roche-Clermault).
4. Fortin : petit fort.

XXXVII

Comment Gargantua, en se peignant, faisait tomber de ses cheveux les boulets d'artillerie

Ayant quitté la rive du Vède, ils arrivèrent peu de temps après au château de Grandgousier, qui les attendait en grande impatience. À sa venue, ils le festoyèrent à tour de bras : jamais on ne vit gens plus joyeux, car le *Supplément*
5 *au Supplément des Chroniques* [1] dit que Gargamelle en mourut de joie. Pour ma part, je n'en sais rien, et je me soucie bien peu d'elle et des autres.

Ce qui est vrai, c'est que Gargantua, en changeant d'habits et en se coiffant avec son peigne (qui était long de
10 cent cannes, et muni de grandes dents d'éléphants toutes entières), faisait tomber à chaque coup plus de sept paquets de boulets qui lui étaient demeurés entre les cheveux lors de la démolition du bois de Vède. En le voyant, Grandgousier son père pensa que c'étaient des poux, et il lui dit :
15 « Vraiment, mon bon fils, nous as-tu apporté jusqu'ici des éperviers de Montaigu [2] ? Je n'entendais pas que tu ailles y résider. [...] Mais ce soir, je veux vous festoyer, et soyez les bienvenus. »

Cela dit, on apprêta le souper, et furent rôtis seize bœufs,
20 trois génisses, trente-deux veaux, soixante-trois chevreaux de l'été, quatre-vingt-quinze moutons, trois cents cochons

---

1. *Supplément au Supplément des Chroniques* : ouvrage imaginaire.
2. *Montaigu* : les éperviers (oiseaux de proie) de Montaigu sont les poux de ce collège parisien célèbre pour sa saleté.

de lait au beau moût[1] de raisin, deux cent vingt perdrix, trois cents bécasses, quatre cents chapons[2] du Loudunois et de Cornouaille, six mille poulets et autant de pigeons.

XXXVIII
Comment Gargantua mangea en salade six pèlerins

Notre propos veut que nous racontions ce qui advint à six pèlerins qui venaient de Saint-Sébastien, près de Nantes. Pour s'héberger cette nuit-là, ils s'étaient cachés au jardin sur les pois, entre les choux et les laitues. Gargantua se
5 trouva quelque peu assoiffé, et demanda si l'on pourrait trouver des laitues pour faire de la salade. Apprenant qu'il y en avait ici, parmi les plus belles et les plus grandes du pays, car elles étaient grandes comme des pruniers ou des noyers, il voulut y aller lui-même, et il en rapporta dans sa
10 main ce qui bon lui sembla. En même temps, il emmena les six pèlerins, qui avaient si grand-peur qu'ils n'osaient ni parler ni tousser.

Il commença par les laver à la fontaine, et les pèlerins se disaient à voix basse l'un à l'autre : « Que faut-il faire ? Nous
15 nous noyons ici, entre ces laitues. Parlerons-nous ? Mais si nous parlons, il nous tuera comme espions. »

Et comme ils délibéraient ainsi, Gargantua les mit avec ses laitues dans un plat de la maison, grand comme le

---

1. *Moût* : jus et pulpe de raisin.
2. *Bécasse* : petit oiseau à chair tendre. Un *chapon* est un jeune coq castré et engraissé.

tonneau de Cîteaux[1]. Avec de l'huile, du vinaigre et du sel,
20 il les mangeait pour se rafraîchir avant le souper, et il avait
déjà engoulé[2] cinq des pèlerins. Le sixième était dans le
plat, caché sous une laitue, excepté son bâton qui apparais-
sait au-dessus.

En le voyant, Grandgousier dit à Gargantua :

25 « Je crois que c'est là une corne de limaçon, ne le man-
gez point.

– Pourquoi ? dit Gargantua. Ils sont bons tout ce
mois. »

Et tirant le bâton, il enleva en même temps le pèlerin, et
30 il le mangea bel et bien. Puis il but un horrible trait de vin
rouge, et ils attendirent que l'on apprêtât le souper.

Les pèlerins ainsi dévorés se tirèrent loin des meules[3]
de ses dents, du mieux qu'ils purent, et ils pensaient qu'on
les avait mis en quelque basse-fosse de prison. Et lorsque
35 Gargantua but le grand trait[4], ils crurent se noyer en sa
bouche, et le torrent de vin les emporta presque au gouffre
de son estomac. Toutefois, en sautant avec leurs bâtons
comme le font les pèlerins de Saint-Michel, ils s'enfuirent
le long des dents. Mais par malheur, l'un d'eux, tâtant le
40 pays avec son bâton pour savoir s'ils étaient en sûreté,
frappa rudement dans le défaut[5] d'une dent creuse, et
blessa le nerf de la mâchoire, ce qui causa une très forte
douleur à Gargantua, et le géant commença à crier, du fait
de la rage qu'il endurait. Pour soulager son mal, il se fit

---

1. *Cîteaux* : la grande cuve de ce couvent célèbre.
2. *Engoulé* : avalé.
3. *Meules* : pierres rondes qui tournent pour moudre le blé.
4. *Grand trait* : rasade de vin.
5. *Défaut* : le vide.

⁴⁵ donc apporter son cure-dent, et sortant vers le noyer à grosses noix, il vous dénicha messieurs les pèlerins.

Car il attrapait l'un par les jambes, l'autre par les épaules, l'autre par la besace[1], l'autre par la bourse, l'autre par l'écharpe. [...]

⁵⁰ Ainsi les pèlerins dénichés s'enfuirent à travers la vigne à beau trot, et la douleur s'apaisa.

À ce moment, Gargantua fut appelé par Eudémon pour le souper, car tout était prêt :

« Je vais donc, dit-il, pisser mon malheur. »

⁵⁵ Alors il pissa si copieusement que l'urine coupa la route aux pèlerins, et ils furent contraints de passer ce grand ruisseau. De là, longeant le bois de la Touche, en plein chemin ils tombèrent tous (excepté Fournillier) dans une trappe[2] que l'on avait faite pour prendre les loups au filet. Ils en ⁶⁰ échappèrent grâce à l'astuce dudit Fournillier, qui rompit tous les filets et les cordages.

XLII

Comment le moine donna courage à ses compagnons, et comment il pendit à un arbre

Or s'en vont les nobles champions à l'aventure, bien décidés à ne pas confondre les situations où il faudrait poursuivre et celles où il faudrait attendre, quand viendrait la journée de la grande et horrible bataille. Et le moine leur ⁵ donne courage, en leur disant :

---

1. **Besace** : grand sac.
2. **Trappe** : piège à bascule.

« Mes enfants, n'ayez ni peur ni doute, je vous conduirai en sûreté. Dieu et saint Benoît[1] soient avec nous ! Si j'avais autant de force que de courage, par la mort bieu[2], je vous les plumerais comme un canard ! Je ne crains rien que l'artillerie. Toutefois je sais quelque oraison que m'a baillée le sous-sacristain de notre abbaye, qui garantit la personne contre toutes les bouches à feu. Mais elle ne me servira à rien, car je n'y ajoute pas foi. Pourtant, mon bâton de croix accomplira des exploits. Par Dieu, celui d'entre vous qui fera le couard, je me donne au diable si je ne le fais moine à ma place, et si je ne l'enveloppe de mon froc[3], qui porte remède à la couardise[4] des gens. Avez-vous point entendu parler du lévrier de Monsieur de Meurles, qui ne valait rien pour chasser dans les champs ? Il lui mit un froc au cou. Par le corps Dieu ! Ni lièvre ni renard ne s'échappait devant lui, et qui plus est, il couvrit toutes les chiennes du pays, lui qui auparavant était éreinté, impuissant et victime d'un mauvais sort. »

En disant ces mots avec fougue, le moine passa sous un noyer près de la Saulaie, et il embrocha la visière de son heaume[5] au bout d'une grosse branche du noyer. Malgré cela, il donna fièrement des éperons à son cheval, qui était chatouilleux quand on le piquait de la pointe, de telle façon que le cheval bondit en avant. Voulant dégager sa visière de la branche, le moine lâche la bride, et de la main se

---

1. **Saint Benoît** : fondateur de l'ordre des bénédictins. Rabelais a été dans un couvent de bénédictins, voir Chronologie, p. 13.
2. **Mort bieu** : mordieu (juron).
3. **Froc** : partie de l'habit du moine qui couvre la tête et les épaules.
4. **Couardise** : lâcheté.
5. **Heaume** : casque.

pend à l'arbre, cependant que l'animal se dérobe sous lui. Ainsi demeura le moine pendu au noyer, criant à l'aide et au meurtre, et protestant qu'on l'avait trahi.

Eudémon l'aperçut le premier, et appela Gargantua :
35 « Sire, venez, et voyez Absalon [1] pendu à un arbre ! »

Gargantua s'approcha, observa la contenance du moine et la façon dont il était suspendu, et il dit à Eudémon :

« Vous vous êtes trompé en le comparant à Absalon, car Absalon était pendu par les cheveux ; mais le moine, qui est
40 tondu, est pendu par les oreilles.

– Aidez-moi, dit le moine, de par le diable ! Est-ce bien le moment de jaser ? Vous me faites penser aux prêcheurs qui disent que quiconque verra son prochain en danger de mort doit sous peine d'excommunication [2] l'exhorter à se confes-
45 ser et à se mettre en état de grâce, plutôt que de l'aider. Quand donc je les verrai tomber dans la rivière, et près de se noyer, au lieu d'aller les chercher et de leur tendre la main, je leur ferai un beau et long sermon sur le mépris du monde terrestre et la fuite du temps, et quand ils seront
50 raides morts, j'irai les repêcher.

– Ne bouge pas, mon mignon, dit Gymnaste, je vais le chercher, car tu es un gentil petit moine :

"Un moine dans son cloître
Ne vaut pas deux œufs :
55 Mais quand il en est sorti,
Il vaut bien trente œufs."

---

1. *Absalon* : personnage de la Bible, resté suspendu à un arbre par ses cheveux.
2. *Excommunication* : l'excommunié est exclu de la communauté des fidèles. Le mourant en état de grâce est assuré de son salut spirituel.

J'ai vu des pendus, plus de cinq cents, mais je n'en ai jamais vu qui eussent meilleure grâce en pendillant, et si je l'avais aussi bonne, je voudrais pendre toute ma vie.

60 – Aurez-vous bientôt assez prêché ? dit le moine. Aidez-moi, au nom de Dieu, puisque vous ne voulez pas au nom de l'Autre [1]. Par l'habit que je porte, vous allez vous en repentir en temps et lieu. »

Alors Gymnaste descendit de son cheval, et montant au
65 noyer, il souleva le moine par-dessous l'aisselle, d'une main, et de l'autre il dégagea sa visière de la branche de l'arbre ; et ainsi il le laissa tomber en terre, et lui après.

Une fois redescendu, le moine se débarrassa de toute son armure, et jeta une pièce après l'autre dans le champ.
70 Reprenant son bâton de croix, il remonta sur son cheval, qu'Eudémon avait empêché de fuir.

Ainsi s'en vont joyeusement, en prenant le chemin de la Saulaie.

XLVI

Comment Grandgousier traita humainement Touquedillon prisonnier

Touquedillon fut présenté à Grandgousier, qui l'interrogea sur l'entreprise et la situation de Picrochole, en lui demandant ce que celui-ci cherchait par cette mobilisation bruyante. Touquedillon répondit que son but et son destin
5 étaient de conquérir tout le pays, s'il le pouvait, à cause de l'injure faite à ses fouaciers.

---

1. *L'Autre* : le Diable.

« C'est une trop grosse entreprise, dit Grandgousier :
qui trop embrasse peu étreint. Le temps n'est plus d'ainsi
conquérir les royaumes, au grand dommage de son pro-
10 chain, de son frère chrétien. Cette imitation des anciens,
Hercule, Alexandre, Annibal, Scipion, César[1] et autres de
ce genre, est contraire à la foi de l'Évangile, qui nous
commande de garder, sauver, régir et administrer chacun
son pays et ses terres, non pas d'envahir hostilement celles
15 des autres. Ce que les Sarrazins[2] et les Barbares jadis appe-
laient prouesses, maintenant nous l'appelons briganderie
et méchanceté. Picrochole eût mieux fait de se limiter à sa
maison, de la gouverner en roi, plutôt que de venir
commettre des outrages en la mienne, en la pillant comme
20 un ennemi. Car en bien gouvernant, il l'eût augmentée,
tandis qu'en me pillant, il sera détruit.

« Allez-vous-en, au nom de Dieu, suivez le bon chemin.
Remontrez à votre roi les erreurs que vous remarquerez, et
ne le conseillez jamais en fonction de votre profit particu-
25 lier, car avec le bien commun on perd aussi son propre
bien. Quant à votre rançon[3], je vous la donne entièrement,
et veux que vous soient rendus armes et cheval. C'est ainsi
qu'il faut agir entre voisins et anciens amis, vu que ce différend[4] entre nous n'est pas à proprement parler une guerre. »

---

1. Rabelais énumère ici quelques grandes figures de conquérants
antiques : **Hercule**, héros de la mythologie antique ; **Alexandre** (356-
323 av. J.-C.), célèbre conquérant antique, roi de Macédoine ; **Annibal**
(247-183 av. J.-C.), général et homme d'État carthaginois ; **Scipion**
(235-183 av. J.-C.), consul et général romain ; **César** (100-44 av. J.-C.),
général et homme politique romain.
2. **Sarrazins** : soldats musulmans.
3. **Rançon** : ce qu'on donne pour la libération d'un prisonnier.
4. **Différend** : querelle.

XLVIII

Comment Gargantua assaillit Picrochole
dans La Roche-Clermault,
et défit l'armée dudit Picrochole

L'assaut donné par les gens de Gargantua continuait. Ceux de Picrochole ne savaient pas s'il valait mieux sortir des murailles et affronter les assaillants, ou bien garder la ville sans bouger. Mais leur roi sortit furieusement avec
5 une troupe d'hommes d'armes, et là il fut reçu et festoyé à grands coups de canon, qui tombaient comme de la grêle sur les coteaux. Alors les Gargantuistes[1] se retirèrent dans la vallée pour laisser le champ libre à l'artillerie.

Dans la ville, les troupes de Picrochole se défendaient du
10 mieux qu'elles pouvaient, mais leurs tirs passaient par-dessus les ennemis sans blesser personne. Quelques-uns de la troupe, qui avaient échappé à notre artillerie, se précipitèrent fièrement sur nos gens, mais ils n'y gagnèrent rien, car ils furent touchés entre les lignes[2] et jetés par terre. En
15 voyant cela, ils voulurent se retirer, mais le moine pendant ce temps avait coupé le passage, si bien qu'ils se mirent à fuir sans ordre ni règle. Certains des Gargantuistes voulaient leur donner la chasse, mais le moine les retint, craignant qu'en poursuivant les fuyards ils ne quittent leurs
20 rangs, et qu'à ce moment-là ceux de la ville viennent les charger. Puis Frère Jean attendit un peu, et comme

---

1. *Gargantuistes* : les troupes de Gargantua.
2. *Lignes* : lignes de bataille.

personne ne venait en face, il envoya le duc Phrontiste[1] exhorter Gargantua à avancer pour gagner le coteau à gauche, afin d'empêcher Picrochole de battre en retraite de
25 ce côté. Ce que Gargantua fit en toute hâte, et il envoya quatre légions de la compagnie de Sébaste[2]. Mais ces légions[3] n'avaient pas atteint le sommet qu'elles rencontrèrent Picrochole face à face, ainsi que ceux qui s'étaient dispersés avec lui. Alors les Gargantuistes les chargèrent
30 roidement, mais ils furent gravement blessés par les traits et l'artillerie des gens de Picrochole qui étaient sur les murs. Ce que voyant, Gargantua alla les secourir en force, et son artillerie commença à donner contre cette partie des murailles, si bien que toutes les forces des assiégés furent
35 rassemblées en ce lieu pour le défendre.

Le moine vit que le côté qu'il assiégeait était au contraire dépourvu de gens et de gardes. Il se dirigea vaillamment vers le fort, et fit si bien qu'il l'escalada, avec un certain nombre de ses hommes, pensant que ceux qui surviennent
40 à l'improviste inspirent plus de crainte et de terreur que ceux qui affrontent l'ennemi sans cet avantage. Toutefois, il ne tenta rien jusqu'à ce que tous les siens eussent gagné la muraille : excepté deux cents hommes d'armes qu'il laissa hors de la ville pour contenir toute attaque imprévue. Puis il
45 poussa un cri horrible, et ses hommes avec lui, et sans rencontrer de résistance, ils tuèrent les gardes de cette porte-là, qu'ils ouvrirent à leurs compagnons d'armes. Ensuite, ils coururent en force vers la porte de l'est, où se déroulait le

---

1. *Phrontiste* : en grec, « le Sage ».
2. *Sébaste* : en grec, « le Vénérable ».
3. *Légion* : corps militaire de l'armée romaine.

plus gros du combat. En prenant les assiégés par-derrière, ils
50 les culbutèrent entièrement.

Les gens de Picrochole, voyant que les Gargantuistes
avaient pris la ville, se rendirent à la merci du moine. Il
leur ôta toutes leurs armes et il leur ordonna de se retirer et
de s'enfermer dans les églises, en saisissant tous les bâtons
55 de croix et en mettant des gens aux portes pour empêcher
les prisonniers de sortir. Puis, ouvrant cette porte de l'est,
il sortit au secours de Gargantua.

Cependant Picrochole pensait que du secours lui venait
de la ville, et dans son outrecuidance il se risqua plus avant,
60 jusqu'à ce que Gargantua s'écriât :

«Frère Jean, mon ami, Frère Jean, soyez le bienvenu!»

Alors, comprenant que l'affaire était désespérée,
Picrochole et ses gens prirent la fuite de tous les côtés.
Gargantua les poursuivit jusqu'aux environs de Vaugaudry,
65 en tuant et en massacrant, puis il sonna la retraite.

XLIX
Comment Picrochole fuyant fut pris de malchance, et ce que fit Gargantua après la bataille

Ainsi désespéré, Picrochole s'enfuit vers L'Ile-Bouchard,
et au chemin de la Rivière son cheval broncha [1] et tomba par
terre : le roi en fut tellement indigné que dans sa colère il le
tua avec son épée. Puis, ne trouvant personne qui lui donnât
5 une nouvelle monture, il voulut prendre un âne du moulin
qui était tout près, mais les meuniers le rouèrent de coups et

---

1. *Broncha* : trébucha.

le détroussèrent de ses habits, et lui donnèrent pour se couvrir une méchante souquenille[1].

Ainsi s'en alla le pauvre colérique. Comme il passait
10 l'eau au Port-Huault et racontait sa malchance, une vieille sorcière l'avertit que son royaume lui serait rendu à la venue des coquecigrues[2]. Depuis, on ne sait ce qu'il est devenu. Toutefois l'on m'a dit qu'il est présentement pauvre gagne-petit à Lyon, coléreux comme avant, et toujours il se rensei-
15 gne auprès des étrangers au sujet de l'arrivée des coquecigrues. Il espère à coup sûr, d'après la prophétie de la vieille, qu'à leur venue il sera réintégré dans son royaume.

L
La harangue que fit Gargantua aux vaincus

« Je vous pardonne et vous délivre, et vous rends francs[3] et libres comme auparavant. De plus, quand vous passerez ces portes, vous serez chacun payé pour trois mois, afin de pouvoir vous retirer en vos maisons et dans vos familles.
5 Vous serez conduits en sécurité par six cents hommes d'armes et huit mille fantassins, sous la conduite de mon écuyer Alexandre, afin que vous ne soyez pas outragés par les paysans. Dieu soit avec vous !

« Je regrette de tout mon cœur que Picrochole ne soit pas
10 ici, car je lui aurais fait comprendre que sans ma volonté et sans espoir d'accroître ni mon bien ni ma gloire s'est faite

---

1. **Souquenille** : tunique de toile grossière.
2. **Coquecigrues** : animaux imaginaires.
3. **Francs** : affranchis, libérés de toute servitude.

cette guerre. Mais puisqu'il a disparu, et que l'on ne sait ni
où ni comment il s'est évanoui, je veux que son royaume
demeure entier à son fils. Comme celui-ci est trop jeune (car
15 il n'a pas encore cinq ans), il sera dirigé et instruit par les
anciens princes et les gens savants du royaume. Et d'autant
qu'un royaume ainsi privé de son roi serait facilement ruiné
si l'on ne réfrénait[1] la convoitise et l'avarice des administra-
teurs, j'ordonne et je veux que Ponocrates ait pouvoir de
20 décision sur tous les gouverneurs, avec autorité compé-
tente, et qu'il s'occupe assidûment de l'enfant, jusqu'à ce
qu'il le reconnaisse capable de gouverner et régner par lui-
même.

   « Mais je considère que l'inclination trop molle et trop
25 faible à pardonner aux méchants les incite à recommencer
plus légèrement à mal faire, à cause de cette confiance et de
cette clémence[2] pernicieuses.

   « Je considère que Moïse[3], le plus doux homme qui fut
sur terre en son temps, punissait aigrement les mutins et les
30 séditieux[4] du peuple d'Israël.

   « Je considère le cas de Jules César, empereur si débonnaire[5] que selon Cicéron son pouvoir le plus souverain et
le meilleur de sa vertu consistaient à toujours vouloir sauver chacun et à pardonner : celui-ci, toutefois, en certaines
35 situations, punit rigoureusement les fauteurs de rébellion.

   « Selon ces exemples, je veux que vous me livriez avant
de partir : premièrement, ce beau Marquet qui a été source

---

1. *Réfrénait* : calmait.
2. *Clémence* : tendance à pardonner.
3. Dans la Bible, Moïse guide le peuple hébreu hors d'Égypte.
4. *Les mutins et les séditieux* : les révoltés.
5. *Débonnaire* : bienveillant.

et cause première de cette guerre par sa vaine outrecuidance ; secondement, ses compagnons fouaciers, qui ont
40 négligé de corriger sa tête folle sur le moment ; et finalement, tous les conseillers, capitaines, officiers et domes-
tiques de Picrochole, qui l'auraient incité, flatté, et exhorté
à sortir de ses limites pour venir ainsi nous inquiéter. »

LI
Comment les vainqueurs gargantuistes
furent récompensés après la bataille

En partant, Gargantua remercia gracieusement tous les
soldats de ses légions qui avaient contribué à cette défaite, et
il les renvoya passer l'hiver dans leurs postes et dans leurs
garnisons, excepté ceux de la légion décumane [1] qu'il avait
5 vus dans la journée faire quelques prouesses et les capitaines
des troupes, qu'il amena avec soi près de Grandgousier.

Quand il les vit arriver, le bonhomme fut si joyeux qu'il
ne serait pas possible de le décrire. Alors il leur fit un festin,
le plus magnifique, le plus abondant et le plus délicieux qui
10 fut vu depuis le temps du roi Assuérus [2]. À la fin du repas, il
distribua à chacun toute la garniture de son buffet, qui
pesait dix-huit cent mille quatorze besants [3] d'or en grands
vases à l'antique, grands pots, grands bassins, grandes
tasses, coupes, petits pots, candélabres, coupelles, surtouts [4]

1. *Légion décumane* : soldats d'élite, à Rome.
2. *Assuérus* : roi de Perse.
3. *Besants* : monnaie byzantine.
4. *Surtouts* : plateaux richement décorés.

15 de table, cache-pots, drageoirs et autre vaisselle de ce genre, toute d'or massif, sans compter les pierres précieuses, l'émail et le décor ciselé, qui selon l'estimation de tous dépassait en prix celui de la matière. De plus, il leur fit compter de ses coffres à chacun douze cent mille écus son-

20 nants. En outre, à chacun d'entre eux il donna à perpétuité (sauf s'ils mouraient sans héritiers) ses châteaux et ses terres voisines, selon ce qui leur était le plus commode.

THÉLÈME

LII

Comment Gargantua fit bâtir pour le moine l'abbaye de Thélème[1]

Restait seulement à pourvoir le moine, que Gargantua voulait faire abbé de Seuilly, mais il le refusa. Gargantua voulut lui donner l'abbaye de Bourgueil ou de Saint-Florent : celle des deux qui lui conviendrait le mieux, ou toutes deux s'il le souhaitait. Mais le moine lui répondit catégoriquement qu'il ne voulait ni se charger de moines ni les gouverner :

« Car, dit-il, comment pourrais-je gouverner autrui, quand je ne saurais me gouverner moi-même ? S'il vous semble que je vous aie fait et que je puisse à l'avenir vous faire service agréable, octroyez-moi de fonder une abbaye à ma guise. »

---

1. *Thélème* : en grec, « libre volonté ».

La demande plut à Gargantua, et il offrit tout son pays
de Thélème, près de la Loire, à deux lieues de la grande forêt
15 de Port-Huault, et il demanda à Gargantua d'instituer son
ordre religieux au contraire de tous les autres.

« Premièrement, dit Gargantua, il n'y faudra pas bâtir de
murailles tout autour, car les autres abbayes sont fièrement
pourvues de murs.

20 – Oui, dit le moine, et non sans cause : où il y a mur,
devant ou derrière, il y a force murmure, envie et conspirations réciproques. »

De plus, vu qu'en certains couvents de ce monde il est
en usage que si quelque femme y entre (j'entends une de ces
25 femmes prudes et pudiques), on nettoie la place par laquelle
elle est passée[1], il fut ordonné que, s'il entrait par hasard
un religieux ou une religieuse, on nettoierait soigneusement
tous les lieux par lesquels ils seraient passés. Et parce que
dans les ordres religieux de ce monde, tout est ordonné,
30 limité et réglé par des horaires, il fut décrété que là, il n'y
aurait horloge ni cadran, mais que toutes les tâches seraient
attribuées selon l'occasion et l'opportunité[2]. Car, disait
Gargantua, la plus certaine perte de temps qu'il connût
était de compter les heures – quel bien en vient-il ? – et la
35 plus grande rêverie du monde était de se gouverner au son
d'une cloche, et non selon les préceptes du bon sens et de
l'entendement.

De plus, parce qu'en ce temps-là on ne mettait en religion que les femmes borgnes, boiteuses, bossues, laides,

---

1. *Elle est passée* : parce que la femme y est considérée comme un être
impur (ici, ce sont les moines traditionnels que Rabelais considère
comme des êtres impurs…).
2. *Opportunité* : commodité.

abîmées, folles, insensées, malformées et tarées, et unique-
ment les hommes catarrheux[1], mal nés, niais, une vraie
charge pour leur maison, [...] il fut ordonné que là ne
seraient reçues que les femmes belles, bien formées et
gâtées par la nature et seulement les hommes beaux, bien
formés et doués de naissance.

De plus, parce que dans les couvents de femmes, les
hommes n'entraient qu'en cachette et clandestinement, il
fut décrété qu'à Thélème n'y aurait pas de femmes si les
hommes n'y étaient, ni d'hommes si les femmes n'y étaient.

De plus, parce que pour lors tant les hommes que les
femmes, une fois entrés en religion, étaient après un an
d'essai forcés et contraints d'y demeurer perpétuellement,
leur vie durant, il fut établi que tant les hommes que les
femmes reçus en cette abbaye sortiraient quand bon leur
semblerait, librement et entièrement.

De plus, parce qu'ordinairement les religieux faisaient
trois vœux, à savoir de chasteté[2], de pauvreté et d'obéis-
sance, il fut établi que l'on pouvait s'y marier honorable-
ment, et que chacun serait riche et vivrait en liberté.

Quant à l'âge légitime, les femmes y étaient reçues de
dix à quinze ans, les hommes de douze à dix-huit ans.

---

1. *Catarrheux* : qui souffrent de rhumes, de bronchites...
2. *Chasteté* : les moines renoncent à toute relation sexuelle.

LIII

Comment fut bâtie et dotée
l'abbaye des Thélémites

Le bâtiment était de forme hexagonale[1], de telle façon qu'à chaque angle était construite une grosse tour ronde, au diamètre large de soixante pas, et ces tours étaient toutes pareilles en grosseur et en allure.

5 La Loire coulait du côté du nord. Sur sa rive était une des tours, nommée Artice[2] ; à l'est, une autre tour nommée Calaer ; puis les tours Anatole, Mésembrine, Hespérie ; la dernière s'appelait Crière. Entre les tours il y avait un espace de trois cent douze pas[3]. Le tout bâti à six étages, en comp-
10 tant les caves souterraines. Le second étage était voûté en anse de panier ; le reste était couvert de gypse de Flandre, orné de culs-de-lampe[4]. Le dessus était couvert d'ardoise fine, avec la crête du toit en plomb et décorée de petits personnages et d'animaux, bien assortis et dorés. Les gout-
15 tières sortaient du mur entre les croisées, peintes en diagonale d'or et d'azur, jusqu'en terre, où elles donnaient dans de grands conduits qui tous aboutissaient à la rivière, plus bas que l'édifice.

---

1. *Hexagonale* : six côtés.
2. *Artice* : ces tours ont des noms grecs signifiant Arctique, Bel-air, Orientale, Antarctique, Occidentale, Glaciale.
3. *Pas* : environ soixante-quinze centimètres.
4. *Gypse* : pierre tendre et plâtreuse. *Culs-de-lampe* : ornements en relief.

Ce bâtiment était cent fois plus magnifique que ne sont
20 Bonnivet, Chambord et Chantilly[1], car il comportait neuf
mille trois cent trente-deux chambres, chacune complétée
d'une arrière-chambre, d'un cabinet, d'une garde-robe,
d'un oratoire[2], et ouvrant sur la grande salle. Entre les
tours, au milieu du corps de logis, il y avait chaque fois un
25 escalier tournant, avec des paliers ; les marches étaient en
partie de porphyre[3], en partie de marbre de Numidie, en
partie de marbre vert. Elles étaient longues de vingt-deux
pieds, et épaisses de trois doigts. Il y avait douze marches
entre deux paliers. À chaque palier étaient deux beaux arcs
30 à l'antique[4], par lesquels pénétrait la clarté, et qui permet-
taient d'entrer dans une loggia à claire-voie, de la même
largeur que l'escalier. Celui-ci montait au-dessus du toit, et
là, il finissait par un pavillon. Par cet escalier on entrait de
chaque côté en une grande salle, et des salles aux chambres.
35 De la tour Arctique à la tour Crière se trouvaient les
belles grandes bibliothèques en grec, latin, hébreu, fran-
çais, italien et espagnol, réparties sur les différents étages
selon les langues.
Au milieu était un merveilleux escalier tournant, qui
40 s'ouvrait sur le dehors par un arc large de six toises[5]. Il
avait un plan symétrique et une capacité telle que six
hommes d'armes, la lance sur la cuisse, pouvaient monter
jusqu'en haut du bâtiment.

---

1. ***Bonnivet, Chambord et Chantilly*** : châteaux de la Renaissance.
2. ***Oratoire*** : lieu où l'on prie.
3. ***Porphyre*** : marbre rouge ou vert. Le marbre de Numidie est tacheté de vert.
4. ***À l'antique*** : comme dans les monuments antiques.
5. ***Six toises*** : environ douze mètres.

De la tour Anatole à la tour Mésembrine s'étendaient de
45 belles galeries, toutes peintes de fresques. Celles-ci avaient
pour sujet les antiques prouesses, les grands événements et
les descriptions de la terre. Au milieu, il y avait une montée
et une porte semblables à celles que nous avons mentionnées du côté de la rivière. Sur cette porte était écrit en grosses
50 lettres romaines[1] ce qui s'ensuit.

LIV
L'inscription mise sur la grande porte de Thélème

Honneur, louange, plaisir
Règnent ici
Par joyeux accord ;
Tous sont sains de corps.
5 Aussi puis-je leur dire :
Honneur, louange, plaisir.

Ici entrez, et soyez bien venus
Et bien reçus, vous nobles chevaliers !
C'est ici le lieu où les revenus
10 Sont bien reçus : afin qu'entretenus,
Grands et petits, tous soyez à milliers
Vous serez mes compagnons et mes familiers
Alertes, lestes, joyeux, plaisants, mignons,
En général tous gentils compagnons.

---

1. *Lettres romaines* : et non pas médiévales (les lettres gothiques sont
démodées).

15   Compagnons gentils,
             Sereins et subtils,
             Sans aucune bassesse,
             De politesse
             Voici les outils [1].

LV
Comment était le manoir des Thélémites

Au milieu de la cour intérieure était une fontaine magnifique, de bel albâtre [2]. Au-dessus, les trois Grâces, avec des
cornes d'abondance [3], et elles rejetaient l'eau par les
mamelles, la bouche, les oreilles, les yeux, et autres ouver-
5 tures du corps.

Au-dessus de cette cour intérieure, le centre du logis était
porté sur de gros piliers de calcédoine et de porphyre [4], et
sur des arcs à l'antique, sous lesquels se trouvaient de belles
galeries, longues et amples, ornées de peintures et de cornes
10 de cerfs, de licornes [5], de rhinocéros, d'hippopotames, de
dents d'éléphants et d'autres choses admirables.

Le logis des dames allait de la tour Artice à la porte
Mésembrine. Les hommes occupaient le reste. Devant le
logis des dames, afin qu'elles eussent de la distraction, il y
15 avait entre les deux premières tours, au-dehors, les lices [6],

---

1. *Voici les outils* : les moyens (d'accéder à un mode de vie raffiné).
2. *Albâtre* : pierre blanche.
3. *Cornes d'abondance* : cornes contenant des fruits à profusion.
4. *Calcédoine* : pierre blanche. Le *porphyre* est un marbre rouge ou vert.
5. *Licornes* : animaux légendaires, avec une corne sur le front.
6. *Lices* : terrains destinés aux tournois et au sport.

l'hippodrome, le théâtre et les bassins de natation, avec les bains mirifiques à trois niveaux, bien garnis de toutes les commodités, et d'eau de myrte[1] à foison.

Près de la rivière était le beau jardin de plaisance; au
20 milieu, le labyrinthe. Entre les deux autres tours, les jeux de paume[2] et de ballon. Du côté de la tour Crière, le verger, plein de tous arbres fruitiers, tous ordonnés en quinconce[3]. Au bout était le grand parc, foisonnant en toute espèce de bêtes sauvages.

25 Entre la troisième paire de tours étaient les buttes pour tirer à l'arquebuse, à l'arc et à l'arbalète; les offices[4], à l'extérieur de la tour Hespérie, et ils n'avaient qu'un étage. Devant les offices se trouvait la fauconnerie, qui était gouvernée par des autoursiers[5] bien experts en leur art, et
30 chaque année fournie par les Crétois, les Vénitiens et les Sarmates[6] de toutes sortes d'oiseaux modèles: aigles, gerfauts, autours, sacres, laniers, faucons, éperviers, émerillons et autres, si bien faits et domestiqués qu'en partant du château pour voler aux champs, ils prenaient tout ce qu'ils
35 rencontraient. Le chenil était un peu plus loin, en allant vers le parc.

Toutes les salles, les chambres et les cabinets étaient tapissés[7] de façon diverse selon les saisons de l'année.

---

1. **Myrte** : plante méditerranéenne aux fleurs parfumées.
2. **Jeux de paume** : sorte de tennis.
3. **Quinconces** : disposés par groupes de cinq.
4. **Offices** : communs, destinés au service.
5. **Autoursiers** : chargés de dresser les oiseaux de proie utilisés à la chasse.
6. **Sarmates** : dans le nord de l'Europe. Suit une liste d'oiseaux de proie.
7. **Tapissés** : on pendait des tapisseries aux murs.

Tout le pavé était couvert de drap vert. Les lits avaient des
40 étoffes brodées. Dans chaque arrière-chambre était un
miroir de cristal, enchâssé d'or fin, et garni de perles tout
autour. Il était si grand qu'on pouvait s'y refléter en pied. À
la sortie des salles du logis des dames se trouvaient les
parfumeurs et les coiffeurs, par les mains desquels pas-
45 saient les hommes quand ils visitaient les femmes. Ils four-
nissaient chaque matin les chambres des dames en eau de
rose, eau de fleur d'oranger et eau de myrte, et à chacune ils
procuraient le précieux brûle-parfum, exhalant les vapeurs
de toutes drogues aromatiques.

LVI
Comment étaient vêtus les religieux
et religieuses de Thélème

Les dames, au commencement de la fondation, s'habil-
laient selon leur plaisir et leur volonté. Depuis elles réfor-
mèrent cette coutume, de leur pleine liberté, et de la façon
suivante.
5 Elles portaient des chausses[1] d'écarlate vive, et lesdites
chausses dépassaient le genou de trois doigts exactement, et
cette lisière était ornée de belles broderies et de découpures.
Les jarretières étaient de la même couleur que leurs brace-
lets, et elles serraient le genou au-dessus et au-dessous. Les
10 souliers, escarpins et pantoufles, de velours cramoisi, rouge
ou violet, étaient découpés en barbes d'écrevisse[2].

---

1. *Chausses* : bas montants, retenus par des jarretières à mi-cuisse.
2. Ils sont ornés de fines découpures.

Au-dessus de la chemise, elles revêtaient le beau corset, en étoffe de soie. Sur le corset, elles mettaient le jupon raide, de taffetas blanc, rouge, brun, gris, etc. ; au-dessus, la cotte
15 de taffetas d'argent rebrodée d'or fin et de volutes faites à l'aiguille, ou, selon que bon leur semblait, et suivant le jour et l'air, de satin, de damas[1], de velours orangé, brun, vert, cendré, bleu, jaune clair, rouge, cramoisi, blanc, de drap d'or, de toile d'argent, avec ouvrage de fils précieux ou de
20 broderie, selon les fêtes.

Les robes étaient selon la saison de toile d'or à frisure d'argent[2], de satin rouge couvert de dessins en fil d'or, de taffetas blanc, bleu, noir, brun, de serge ou d'étoffe légère en soie, de velours, de drap d'argent, de toile d'argent, d'or filé,
25 de velours ou de satin brodé d'or en figures diverses. [...] Et toujours le beau panache, choisi selon les couleurs des manchons[3], et bien garni de pampilles[4] d'or. En hiver, des robes de taffetas dans les couleurs mentionnées ci-dessus : fourrées de lynx, de genette[5] noire, de martre de Calabre, de zibeline
30 et d'autres fourrures précieuses. Les chapelets, anneaux, chaînes, colliers étaient de fines pierreries, escarboucles, rubis, balais[6], diamants, saphirs, émeraudes, turquoises, grenats, agates, bérils[7], perles d'excellence. [...]

Telle sympathie était entre les hommes et les femmes que
35 chaque jour ils étaient vêtus de semblable parure. Et pour

---

1. Damas : étoffe de soie.
2. À frisure d'argent : rebouclée d'argent.
3. Manchons : rouleaux de fourrure ou de drap pour cacher les mains.
4. Pampilles : petit ornement de métal précieux.
5. Genette : petit carnassier.
6. Balais : variété de rubis.
7. Béril : variété d'émeraude.

ne pas y manquer, certains gentilshommes étaient chargés
de dire aux hommes, chaque matin, quelle livrée [1] les dames
voulaient porter cette journée-là. Car tout était fait selon la
volonté des dames. Ne pensez pas que ces vêtements et ces
40 parures si riches leur fissent perdre du temps, car les maîtres
des garde-robes tenaient tous les vêtements prêts chaque
matin ; et les femmes de chambre étaient si bien apprises
qu'en un moment les dames étaient prêtes et habillées de
pied en cap.

45   Et pour se procurer ces vêtements avec plus grande
commodité, il y avait près du bois de Thélème un grand
corps de maison long d'une demi-lieue [2], bien clair et bien
aménagé, où demeuraient les orfèvres, les lapidaires [3], les
brodeurs, les tailleurs, les fileurs d'or, les veloutiers, les
50 tapissiers et tisseurs de tentures, et là chacun exerçait son
métier, le tout pour ces religieux et religieuses.

LVII
Comment était réglé le mode de vie
des Thélémites

Toute leur vie était organisée non par des lois, des sta-
tuts ou des règles, mais selon leur vouloir et franc arbitre. Ils
se levaient du lit quand bon leur semblait, buvaient, mangeaient, travaillaient, dormaient quand le désir leur venait ;
5 nul ne les éveillait, nul ne les forçait ni à boire ni à manger,

---

1. *Livrée* : habit.
2. *Une demi-lieue* : voir note 4, p. 37.
3. *Lapidaires* : tailleurs de pierres précieuses.

ni à faire autre chose. Ainsi l'avait établi Gargantua. En leur règle n'était que cette clause :

FAIS CE QUE VOUDRAS

parce que les gens libres, bien nés, bien instruits, conversant
10 en compagnie honnête, ont par nature un instinct et un aiguillon, qui toujours les pousse à accomplir des faits vertueux et les éloigne du vice, aiguillon qu'ils nommaient honneur. Quand une vile[1] servitude ou une contrainte les font déchoir[2] et les assujettissent[3], ils emploient cette noble incli-
15 nation, par laquelle ils tendaient librement vers la vertu, à repousser et à enfreindre ce joug[4] de la servitude : car nous entreprenons toujours les choses défendues, et convoitons ce qui nous est refusé.

Grâce à cette liberté, ils entrèrent en louable émulation[5]
20 de faire tous ensemble ce qu'ils voyaient plaire à un seul. Si l'un ou l'une d'entre eux disait : « Buvons », tous buvaient ; s'il disait : « Jouons », tous jouaient. S'il disait : « Allons nous ébattre aux champs », tous y allaient. Si c'était pour chasser au vol[6] ou poursuivre le gibier, les dames, montées sur de
25 belles haquenées[7], portaient chacune un épervier, ou un lanier, ou un émerillon[8]. Les hommes portaient les autres oiseaux.

---

1. Vile : humiliante.
2. Déchoir : perdre leur dignité.
3. Assujettissent : asservissent.
4. Joug : domination.
5. Émulation : rivalité.
6. Chasser au vol : en utilisant les oiseaux de proie dressés pour la chasse.
7. Haquenées : chevaux faciles à monter.
8. Émerillon : oiseau de proie.

Ils étaient si noblement instruits qu'il n'y en avait aucun qui ne sût lire, écrire, chanter, jouer d'instruments de

30 musique, parler cinq ou six langues et composer en ces langues tant en vers qu'en prose. Jamais ne furent vus chevaliers si preux, de si belle allure, si adroits à pied et à cheval, si vigoureux, plus alertes et plus aptes à manier toutes sortes d'armes. Jamais ne furent vues dames si élé-

35 gantes, si mignonnes, moins acariâtres, plus adroites aux travaux manuels, à la broderie, et à toute occupation convenant à une femme honnête et libre.

Pour cette raison, quand le temps était venu qu'un membre de l'abbaye voulût en sortir, ou à la requête de

40 ses parents, ou pour toute autre cause, il emmenait avec lui une des dames, celle qui l'avait pris pour son cavalier ser-vant, et ils se mariaient. Et s'ils avaient vécu à Thélème en confiance et en amitié, encore mieux poursuivaient-ils cette existence dans le mariage. Ils s'aimaient à la fin de leurs

45 jours comme au premier jour de leurs noces.

■ Le festin de Gargantua. Illustration de Gustave Doré.

DOSSIER

Qui est Gargantua ?

Enfant ou géant ?

Gargantua agit-il comme un enfant ou comme un géant ? Cochez la bonne colonne !

Actions de Gargantua	Enfant	Géant
Il n'arrête pas de bouger.		
Il touche à tout.		
Son bonnet est fait de 302 aunes de velours.		
Son encrier est gros comme un tonneau.		
Il chie dans sa chemise.		
Il se vautre dans la fange.		
Il morve dans sa soupe.		
Ses souliers sont taillés dans 11 000 peaux de vaches.		
Il fait des bêtises.		
Il a presque 18 mentons.		
Il est allaité par 17 913 vaches.		
Il patouille en tous lieux.		
Il hume le piot.		
Son écritoire pèse plus de 7 000 quintaux.		
On le promène dans une charrette à bœufs.		
Il se mâchure le nez.		
Il trempe ses mains dans le potage.		

L'élève

Avec qui Gargantua se livre-t-il aux activités suivantes ? Avec Thubal Holoferne ou avec Ponocrates ?

	Avec Thubal Holoferne	Avec Ponocrates
Il observe les astres.		
Il nage dans la rivière.		
Il écrit en lettres gothiques.		
Il saute d'un cheval sur l'autre.		
Il remercie Dieu de sa bonté.		
Il apprend la géométrie en faisant des schémas en papier.		
On lui lit un passage de la Bible.		
Il s'exerce à la balle.		
Il récite des livres à l'envers.		
Il joue de la flûte.		
Il écoute trente messes.		
Il bâille et il tousse.		
Il apprend l'arithmétique grâce à un jeu de cartes.		
Il se lève tard.		
Il copie des livres.		
Il observe les plantes.		
Il manie les armes.		
Il règle sa boussole.		
Il saute dans son lit.		
Il discute des propriétés des mets qui se trouvent à table.		
Il apprend par cœur un traité de grammaire.		
Il fait sa toilette.		
Il écrit en lettres modernes.		
Il dit des masses de chapelets.		

Le prince

Quel personnage est Gargantua ? Entourez les termes qui lui conviennent.

le bon vivant – l'orgueilleux – le rusé – le conquérant
le savant – le sage – le brave – le coléreux
l'ivrogne – le géant – l'artiste – l'homme pieux
l'ogre – le mélancolique – l'homme cruel – le saint
le bon fils – le généreux – le tyran – l'ami fidèle
le farceur

Les personnages

Reliez chaque personnage à l'animal ou à l'objet qui lui revient.

Picrochole •
Janotus •
Frère Jean •
Gargantua •
les Bien-ivres •
les Thélémites •
les capitaines Merdaille et Spadassin •
les fouaciers •
Gymnaste •
Grandgousier •

• une paire de chausses
• un bâton pour tisonner dans la cheminée
• une jument
• des bijoux
• une carafe de vin
• une épée
• un chapeau
• un bâton de croix
• un cheval bien dressé
• des brioches

Picrochole et Grandgousier ne se ressemblent décidément pas !
Reliez dans ces deux listes les actions qui les opposent.

Picrochole ne consulte pas ses vassaux avant de faire la guerre •

Les troupes de Picrochole pillent et massacrent sur leur passage •

Picrochole attaque sans avoir aucune entrevue avec Grandgousier •

Picrochole entreprend une guerre de conquête pour agrandir son royaume •

L'armée de Picrochole est organisée de façon sommaire •

Les gens de Picrochole s'emparent des présents de Grandgousier et reçoivent ses gens avec des menaces •

Picrochole est un tyran •

Picrochole agit sous le coup de la colère •

• Grandgousier envoie des messagers à Picrochole avant de déclarer la guerre

• Grandgousier se considère comme le père de ses sujets

• Grandgousier réunit son conseil

• Grandgousier n'a jamais pillé les terres de Picrochole

• Grandgousier propose à Picrochole des fouaces et de l'argent en échange de la paix

• Avant d'agir, Grandgousier prie Dieu pour retrouver la paix de l'âme

• Grandgousier fait la guerre pour défendre son royaume

• Grandgousier fait mettre au point pour son armée des moyens stratégiques

1. Picrochole est-il un chef d'État...

A. tolérant
B. despotique

2. Grandgousier est-il un chef d'État...

A. tolérant
B. despotique

3. **Picrochole est-il d'un tempérament...**
   A. réfléchi
   B. impulsif

4. **Grandgousier est-il d'un tempérament...**
   A. réfléchi
   B. impulsif

Si vous deviez élire l'un des deux, pour qui voteriez-vous ?

....

....

Un rêve : l'abbaye de Thélème

Le plan de l'abbaye de Thélème

Placez sur le plan...

- les différentes tours avec leurs noms
- la Loire
- les escaliers
- les galeries, la cour intérieure
- la grande porte et son inscription
- la fontaine des trois Grâces
- le jardin
- les jeux de ballon
- le verger
- les offices et la fauconnerie
- le chenil

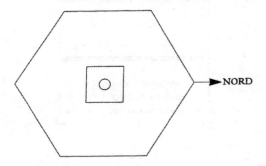

Les habits des dames de Thélème

Retrouvez dans l'armoire les noms correspondant aux vêtements et aux parures de la liste suivante.

1. Leurs collants : ....
2. Leurs souliers : ....
3. Leurs fourrures : ....
4. Leur jupe : ....
5. Le rouleau où elles réchauffent leurs mains : ....
6. L'étoffe de soie dont leur robe est faite : ....
7. Leurs rubis : ....
8. Les petits ornements de métal sur leurs vêtements : ....
9. Les plumes sur leur chapeau : ....

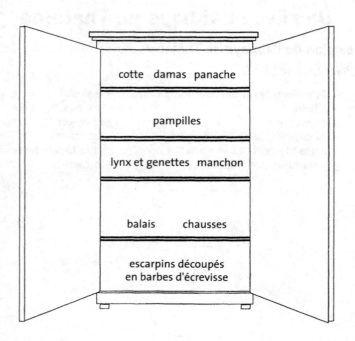

cotte   damas   panache

pampilles

lynx et genettes   manchon

balais   chausses

escarpins découpés
en barbes d'écrevisse

Gargantua à la télévision

Quels sont les épisodes que vous aimeriez retenir si vous aviez à faire trois dessins animés ?

- ❏ La journée de l'élève Gargantua.
- ❏ La jument de Gargantua.
- ❏ L'attaque du clos de l'abbaye et les exploits de Frère Jean.
- ❏ Frère Jean pendu à un arbre.
- ❏ Le discours de Gargantua aux vaincus.
- ❏ Les tours de voltige de Gymnaste sur son cheval.
- ❏ La description des bâtiments de Thélème.
- ❏ Comment Gargantua fait tomber de ses cheveux les boulets d'artillerie.

Vous faites le bruitage d'un film sur les aventures de Gargantua : quels bruits correspondent à quelles scènes ?

l'attaque du clos de l'abbaye •

le vol des cloches de Notre-Dame par Gargantua •

les Bien-ivres •

le plaidoyer de maître Janotus •

les chevaux de bois de Gargantua •

le conseil de guerre tenu par Picrochole •

• un dialogue entre Picrochole et ses capitaines

• bruit de verres et bouhaha de paroles

• conversation entre Gargantua et les invités de son père

• chant des moines et jurons de Frère Jean

• une sonnerie de cloches

• raclements de gorge et formules en latin

Gros plan sur l'enfant Gargantua

Quelles couleurs utiliseriez-vous pour habiller le personnage ?
Choisissez sur la palette :

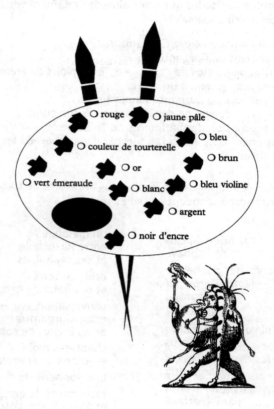

○ rouge ○ jaune pâle

○ bleu

○ couleur de tourterelle

○ brun

○ or

○ vert émeraude ○ blanc ○ bleu violine

○ argent

○ noir d'encre

Une histoire bien décousue

Dans un feuilleton télévisé, on a mal numéroté les épisodes de l'histoire de Gargantua. Retrouvez le bon ordre :

1. L'abbaye de Thélème
2. L'éducation de Gargantua
3. Picrochole s'empare de La Roche-Clermault
4. Les vêtements de l'enfant Gargantua
5. La naissance de Gargantua
6. Gargantua démolit le château du Gué de Vède
7. La querelle des bergers et des fouaciers
8. Picrochole s'enfuit
9. La généalogie de Gargantua
10. Le discours de Grandgousier aux vaincus

Ordre : ....
....

Les mots de Rabelais

Le langage de Frère Jean

Frère Jean défend la vigne de son couvent (chap. XXVII, p. 61 *sq.*).
Parmi les jurons qu'il emploie, lesquels ne sont pas de Rabelais ?

« Nom d'une pipe, dit Frère Jean, vous voilà tous à chanter des cantiques ! C'est bien chien chanté ! Par le grand Belzébuth, notre vendange est perdue. Ventre Saint-Jacques, nous n'aurons rien à boire. Je leur apprendrai, crénom, à mettre les pieds dans un lieu consacré ! Sainte-Nitouche, ils ne perdent rien pour attendre ! Ôtons nos robes, vertu Dieu, et tapons-leur dessus ! Je vous apprendrai à vous défendre, nom d'un petit poisson ! Par le corps Dieu, regardez-les écraser tous les grains ! Que saint Antoine me brûle si je laisse faire ces marauds. C'est le moment de partir en croisade. »

À boire et à manger

Retrouvez la traduction qui convient à chaque mot ou expression rabelaisienne.

Mon ami, apporte le piot ! •

Où est mon entonnoir ? •

J'ai des munitions. •

Sers-nous de la fouace ! •

Mon verre pleure. •

Donne-nous les avant-coureurs du vin. •

Quel horrifique trait ! •

Ah, des boutargues ! •

J'engoule. •

Son âme est en la cuisine. •

Il vide les verres jusqu'à ce que le liège de ses pantoufles gonfle d'un demi-pied. •

Je mange contre le mauvais air. •

Boire matin est le meilleur. •

Commençons par des entommeures. •

Je me lèche les badigoinces. •

C'est la saison du muscadet. •

Que ces tripes sont friandes ! •

Je suis à sec, vraiment ! •

On boit à tire-larigot. •

Baille-nous un peu de safran ! •

Buvons comme les canes ! •

Voici le sirop de la vigne. •

J'humecte. •

• J'avale.

• Ah, du caviar.

• Commençons par du hachis.

• Mon ami, apporte le vin.

• J'ai grand soif.

• Je me lèche les babines.

• Buvons sans nous arrêter !

• Donne-nous l'apéritif.

• Ajoute un peu d'épices.

• Que ces tripes sont délicieuses !

• Où est mon verre ?

• J'ai des provisions.

• Je mange pour ne pas attraper de maladie.

• C'est la saison du raisin.

• Sers-nous de la brioche.

• Mieux vaut boire que de se lever tôt.

• Voici le vin.

• Il boit jusqu'à être complètement imbibé.

• Mon verre déborde.

• Je mouille mon gosier.

• Quelle terrible rasade !

• Il ne pense qu'à manger.

• On boit tant et plus.